JN045243

40代X コミュニティ

どん底からたった3年で8000万円稼いで
3つの余裕を手に入れた、成功の方程式!

いれぶん

鴨ブックス

はじめに

さて、この本を手に取ってくださったあなたに質問です。

- 今、幸せですか？
- 何気ない日常の中にある小さな幸せを感じ取ることができていますか？
- お仕事は楽しいですか？
- 仮に余命が数ヶ月になったとして、今のお仕事は続けますか？
- 大切な人を大切にすることができていますか？
- もしも人生が一度きりしかないとして、後悔のない生き方ができていますか？

はじめに

どれか1つにでも「NO」という答えが当てはまるのであれば、ぜひこの本を最後まで読んでみてください。きっと、何かの気づきを得ていただけるはずです。

わたしは、今、これらの質問に自信を持って、全て「YES」で答えることができます。

しかし、たった3年前までは全く逆の人生を歩んでいました。全てが「NO」というだけでなく、このようなことを自分に問いかける余裕すらありませんでした。社会に出てからの20年間。朝から晩まで、元旦から大晦日まで、見えない、いや、見ようとしていない何かに支配されて、思考停止したまま、自分の意思を持たずにただただ流されるだけの人生を歩んできました。

幸せとはいったい何なのだろうか？　そんなことを「考えよう」と思いつくことさえありませんでした。

気がつけば40代。もう遅いのだろうな。でも、何かしないといけないのだろう。42歳になり、家族に内緒で株式投資を始めました。

結果、大失敗。コツコツ貯めた700万円をあっという間にゼロにしてしまいます。

同じ時期、会社でトラブルに巻き込まれて大幅減給、あわせて飛び級降格。家族からの信用、社会での信用、両方を一度になくします。

もうダメかもしれない……。

真剣に、そう思いました。そんなわたしが43歳からの3年間で大きく人生を変えることができました。きっかけは「X（元Twitter）」でした。

はじめに

「X」による副業で本業を遥かに超える収入を得て、お金の余裕と心の余裕を手にしました。年収は2年で3・6倍になりました。「X」関連での収益は、3年で800万円を超えました。23年間続いたブラックなサラリーマン生活を卒業して、今では時間の余裕も手に入れました。

家族との時間が何倍にも増えました。好きな時に旅行に行けます。朝から優雅にランニングと散歩ができます。仕事は午前中でほとんど終わります。最近では、週に4回、夕方からサウナに行くのが楽しみです。

本当に幸せです。

なるほど、「X」が成功の秘訣なんだな。「X」で楽に稼ぐ。そんなノウハウが書いてあるのだろう。そう思って、この本を手にした方は考えを正してください。

楽をして幸せになれる。残念ながら、人生はそんなに甘いものではありません。

しかし、「X」はあなたが思っているよりも遥かに大きなものを与えてくれます。人生が全く上手くいかなくなった。そんな1人の男の人生が、「X」に出会ったことで大きく花開いたのです。

今や、ノウハウは簡単にいくらでも手に入ります。それなのに、時間、お金、心の余裕を十分に手に入れて、成功する人はほとんどいない。なぜだと思いますか？

そう。ノウハウだけでは足りないのです。

この本には、わたしが「X」をきっかけにして大きく人生を変えたその経験の全てを書きました。必要なものを全て書きました。特別なことは書いていません。しかし、ほとんどの人が見逃している大切なことを書いています。ぜひ、最後まで読んでくださ

はじめに

さい。そして、活用してください。

わたしのミッション。日本の40代を元気にする。そして、日本を元気にする。

「X」をきっかけにして、元気になる日本人を増やしたい。

「もう遅い」なんて、存在しません。わたしと一緒に、時間、お金、心、3つの余裕、そして最高の生き方を手に入れましょう。

いれぶんの
「X」はこちら!

CONTENTS

第4章 1万人に1人の逸材になる方法 176

第5章 「いれぶん塾」の話 188

おわりに 256

この書籍では過去のエピソードも登場しますが表記を次のように統一しております。

㊐Twitter⇒「X」
㊐ツイート⇒ポスト
㊐リツイート⇒リポスト

「X」は人生を変える

諦めないことで人生の風向きは変わる

どこにでもいる1人の男の生い立ち

本題に入る前に、少しだけわたしの生い立ちを紹介させてください。

わたしには何も特別なところがなく、皆さんよりも秀でたものなど何もない。そんな人生を送ってきているということをお伝えしたいのです。

わたしは岐阜県岐阜市という自然に囲まれたのどかな街に生まれました。岐阜市の人口は40万人ほど。東の空を眺めれば、かつては織田信長が拠点にしていた岐阜城が金華山のてっぺんにそびえ立っているのが見えます。冬になればスキーやスノボのできる山まで、車で1時間もあれば行けます。

名古屋までは電車で30分。東海道新幹線の駅もあるし、空港も比較的アクセスが良い。都会に憧れがあるわけではない、でも田舎すぎるのも不便。そんな風に考えるわたしにとっては「ちょうど良い街」で育ちました。父親はサラリーマン。母親は専業主婦。子どもの頃は不自由を感じたこともなく過ごしました。小学校の3～4年生くらいまでは明るい性格。ドリフターズが大好きで、毎日志村けんさんの物まねをしたりして……。どこの小学校にもいますよね。そういうおちゃらけた性格の子ども。

中学生、高校生になるとだんだん内向的になり、特に女性に苦手意識を持って、決して明るくない、ただ真面目な学生生活を送りました。

雲行きが怪しくなってきたのが、大学生になってからです。

毎晩のように、隣の両親の部屋から深刻そうな話をしている声が聞こえてくる……。どうやら父も母も両方ともにお金におおらかな性格だったようで……。けっこう無理をして、わたしを大学に通わせてくれていたことが判明します。その後、法的手続きなどを一緒に行ったり……。それでもわたしは無事、大学を卒業して、地元の中小企業に就職。その頃に父が数日、失踪したりもしました。さまざまな事由に追い込まれて、にっちもさっちもいかない状態になってしまったのでしょうか……。

結局、社会人になってからも、わたし自身で大学の授業料として借りていた学資ローンの返済、そして、両親関係の精算も担っていきました。まあ、それでも、それなりに恋愛もして27歳で結婚。

大学を卒業したのが1999年の春。当時は就職氷河期のピーク。わたし自身は、そもそも将来についての設計など何もありませんでした。

小学生の時の夢：昆虫博士→漫画家→プロ野球選手
中学生の時の夢：ミュージシャン
高校生の時の夢：思い出せません
大学生の時の夢：ありません

一貫性などなく、成長するにつれてだんだんと夢をなくしていきました。

特にやりたいこともなく、音楽は好きだったものの、その道に進むほどのガッツもありません。普通科の高校に進み、数学が苦手だという理由だけで文系の大学に進み、特に学びたいわけでもないのに消去法で残った商学部を選びました。そんなわたしでしたので、就職活動においても何の計画性もありません。周りの友達が動き出し、就職先が決まり出した大学4年生の夏頃、ようやく就職活動を開始、50社くらいは問い合わせをして、説明会や就職試験を受けました。

結果としては、運良く4社から採用内定をもらいます。会社の内訳は、流通（大手スーパー）、高級食材卸、食品メーカー、フランチャイズ本部。たまたま就職試験が上手く行った4社でした。

このうち、2社は上場もしていて社員数も多く、それなりに規模の大きな会社。食品メーカーも東海地方ではTVCMをよく目にする有名な会社。ただ当時はそんなことにも無頓着で、判断する要素に入っていませんでした。

上場という意味すら何となくしか知らなかった……。しかし、朝が早い、転勤が多いなどの要素に気が進みません。だったら、最初から問い合わせしてくるな！　って話ですよね。書いていて、だんだん自分でも腹が立ってきました（苦笑）。当時のわたしは、最終的にとんでもない方法で就職する会社を選びます。紙に手書きで表を作り、それぞれの会社の

●初任給　●始業時間　●年間休日

を書き込み比較。そして、休日が多く、始業時間が一番遅かったフランチャイズ本部を選びました。

かくして就職先は決まり、暗黒の20年間が始まります。

11 思考停止で流され続けた20年間

22歳になったわたしは晴れて社会人になりました。当時のイメージでは就職＝ゴール。

それまでの学生時代に学び、積み上げてきたもの（そんなものなど何もないのに……）を使い、あとは惰性で生活費を稼ぎながら残りの人生を過ごしていく。このように考えていました。

これまでの学生時代では、学力は常に真ん中よりは上の方だったし、大学の4年間、それなりにきつい飲食店でのアルバイトも経験したから、社会人としても何とかやっていけるだろう……。

結果、全く通用しませんでした。人生ではじめて大きな挫折を味わいます。

今思えば、当たり前です。それまで自分が楽に過ごせる環境ばかり選んできたのです。その環境の中ではいつも上位にいます。挑戦も努力もしなくなりますよね。
逆境も苦労も経験していない。全く成長なんてできていなかったのです。

わたしが配属されたのは営業部でした。営業の仕事なんて話さえできればできる。そんな風に考えていました。当然、仕事は上手くいきません。上司からは叱責され続け、心の余裕は一瞬で奪われました。

もう辞めたい。すぐにそう思いました。

しかし、祖父から言われていた「若いうちの苦労は買ってでもしろ」という言葉を思い出し、歯を食いしばって耐えながら、必死になって仕事を覚えました。仕事を一通り覚えた頃、管理体制の整っていない会社では、自己管理ができていないと抱える仕事の量がどんどん増えていきます。

誰も面倒なんて見てくれません。昭和の雰囲気が抜けきっていなかった当時の会社では、残業するのが当たり前。営業には月のノルマがありました。

「仕事が間に合わないのであれば、残業でも、休日でも仕事をして取り戻せ！」

今では考えられないような言葉が、当たり前のように社内の会議で飛び交っていました。

心は何者かに支配され、ただ叱責から逃れるために仕事をし続ける毎日。

信じられないかもしれませんが、出勤する日は朝8時～22時まで仕事をした後いったん帰宅、夕食とお風呂の後、また26時（夜中の2時）まで仕事をする。

始業時間が遅かったから選んだのに、毎日、1時間半も早く出勤して時間外労働をしました。

土曜日は毎週のように1日中仕事。日曜日も朝から仕事をして、15時くらいからようやく休日らしくなります。

1ヶ月の残業時間（時間外労働）はなんと240時間を超えました。多少の波はありましたが、実にこれが20年ほど続いたのです。

日頃わたしがメインでやりとりをするのは、経営者さんです。しかも、サポートしているビジネスは店舗運営。

わたしが勤めていた会社は土日祝や年末年始、GWやお盆などはお休みでした。しかし、店舗は営業しています。何かトラブルや悩み・相談があればお構いなしに連絡がありました。

この20年間、携帯電話は片時も離さず、寝る時もお風呂に入る時も、もちろんトイレでも常に着信に気付けるようにしていました。大好きなアーティストのライブや映画館で映画を観ているときでも、着信があれば対応しました。新婚旅行や家族でディズニーランドなどのアミューズメントパークに遊びに行っても同じです。常に電話対応に追われていました。

本当に、家族を嫌な気持ちにさせていたと思います。

一番怖いのは、このように客観的に書いていると気分が悪くなるくらい異常に感じることに対して、当時は違和感を持たず、ただただ目の前のことに忙殺されながら過ごしていたということ。これこそが、世にも恐ろしい……、

「思考停止」

生きているようで生きていない。意思があるようで意思がない。自分の進みたい先がない。

だから、考えることをせずに流され続けます。大きな海原に浮かぶ、小さな浮き輪のように、風や波にのまれながら漂っていました。楽だったのかもしれません。抗わずに従うだけなのですから。家族はついてきてくれました。給料もそれなりにもらえました。同僚との絆もできました。先のことを考えず、目先のことだけ見ていれば、

大きな問題があるように思いません。もちろん、違和感はありました。

このままだと、もしかしたらマズイんじゃないか⁇　身体も心も壊すんじゃないか？

家族もいなくなるのではないか？　歳を重ねて、体力が落ちていった時、今のような仕事はできるのか？　人生100年時代っていうけれど、この会社の仕事を辞めた時、自分に何か残るのだろうか？

考えようとはします。でも、答えは出ません。出すことができないのです。答えを出したら、動かないといけません。そんな時間はない。オレは今、忙しいんだ。そしてまた、忙殺されていきます。このようにしてずっと漂い続けました。

こういう人、多いのではないでしょうか。

現代社会は、情報過多で流れが速くて、新しいサービスがどんどん増えていきますよね。慣れた頃には変化しないといけない。コストは削減しないといけないから、常に人不足になりがち。忙しくない人なんていません。

忙しさにかまける。

そんな言葉がありますが、忙しいっていう便利な言葉を使って、自分が何も考えていないことを正当化できちゃう。時間は確実に、どんどん過ぎていく。わたしは気がついたら40歳を超えていました。あっという間に20年間経過。

いくら人生１００年時代が短くないといっても、20年ともなるとその2割を占めます。

しかも、20代、30代という気力と体力に溢れ、結婚して、幼くて可愛くて仕方ない子どもたちがいた時間をほとんど仕事だけで過ごしてしまったのです。

放っておけば、ここからの20年間もあっという間でしょう。

ある日の夜中です。胃のあたりがムカムカして目が覚めます。何だか、身体の様子がおかしい。不整脈がある気がする。自分の胸に手を当てると、びっくりしました。とんでもなく不規則な心拍です。ショックを起こし、身体の血の気が引いていきます。血圧は乱高下、過呼吸に近い症状もあり、視界が狭くなります。

「死ぬかもしれない」

生まれて初めてそう思いました。妻に救急車を呼んでもらい、病院へ。症状の原因は過度のストレスによる自律神経失調でした。この頃、度々この症状が起こるようになりました。そろそろ、本気で何かを考えないといけない。思考停止で流され続けた20年間から抜け出すきっかけになった1つの出来事です。しかし、この後の展開は決して明るいものではありませんでした。

11 死にたくなったことありますか？

40代になったわたしは、セカンドキャリアを夢見るようになりました。切羽詰まってきたという方が正しい表現かもしれません。思えば、新卒で入社したこの会社、生涯勤めようなんて全く考えていませんでした。むしろ、すぐに辞めようと思っていました。嫌なことがあるとすぐに「辞めたい」という言葉が頭をよぎります。

でも、その度に祖父の言葉が思い浮かぶのです。

「若いうちの苦労は買ってでもしろ」

うん、確かに学びはある。学生の頃に比べて、成長している実感があったのです。学びがあるうちは、続けよう。どうせ、他にやりたいこともないし、辞めるのにもストレスが伴うから。ポジティブなのか、ネガティブなのか、わからないマインドのもと、最初は3ヶ月、6ヶ月、1年と続けていきました。

そして、3年ほど経った時、変化がありました。仕事を一通り覚えたことと、継続してきたことにより「慣れてきた」のです。慣れたことにより、ストレスがちょっとだけ減りました。

そして気がつけばあっという間に40代になってしまっていました。

待て待て……。

そもそも退職金がない会社だし、自分よりも先輩だった人たちはほとんどいなくなってしまった。判断の早い後輩はどんどん辞めていく。長年のストレスで、身体の調子も良くない。次のキャリアを考えないとマズイ。でも……。この20年間、やってきたのはただ仕事だけ。営業の仕事だけしか経験がない。いまさら転職なんて難しいだろうし……。

そんな時に、思いついたのが投資でした。不動産投資に興味がある。でも、資金がたくさんいるし、難しそう。株式投資なら、元手が少なくてもできるのかもしれない。本屋に行き、投資関連のコーナーを眺めると株式投資で「億トレ」と書かれた本が目立ちます。

ここが運命の分かれ道でした。手持ち資金100万円から、資産1億円以上に……。これは、夢がある……。自分にもできるかもしれない。なぜか、そう思ってしまいました。

早速、証券口座を作り、初めての株式投資。ドキドキしながら、数十万円の株を購入。けっこう、簡単にできるじゃん。すぐに数万円の利益が出ました。

これ、イケるんじゃない？　資金力があれば、すぐに増やせる？

20年間でコツコツ貯めてきたお金が700万円ほどになっていました。もともとは退職金代わりにしようと思っていたものです。わたしは、妻に内緒でその700万円を使い始めます。金銭感覚は一気に狂いました。もはや、大金も数字にしか見えません。損失が出る。取り戻そうとし無茶をする。そして、また大敗。それを何度か繰り返すと、あっという間に数百万円が消えていきました。株式投資をしたことのない方からすれば、700万円がゼロになることなんてないんじゃないの？　そう思うかもしれません。

確かに、倒産でもしない限り、株価はゼロにならないですからね。しかし、株式投資には信用取引というものがあります。

ざっくりいうと、100万円しか持っていない人が300万円分の株を買うことができるのです。100万円の株を買って40%株価が下がったら、資金は40万円減ります。300万円の株を買って40%株価が下がったら、資金は120万円減ります。こういう仕組みで、わたしの700万円はあっという間にゼロになりました。

家族はそんなことが起きていることなんて、全く知りません。

何とか取り戻さないと、そう思ってもがいてきましたがいよいよ八方塞がり。どうすることもできません。妻にはどんな風に伝えれば良いのだろう？
いや、こんなこと言えるわけがない。株のことを思い出すだけで、吐き気をもよおす毎日。

つらい……。

何か方法はないか……。ない……。無限ループです。
消えてなくなってしまいたい。その方が楽かもしれない。
そんな風に考えるようになりました。

そんなある日、事件が起こります。悪いことって続くのですよね。
わたしは突然、社長に呼ばれました。そして、あり得ない話を聞きました。詳しいことは割愛しますが、結果として部長だったわたしは3階級降格、そして大幅減給。ある日突然、後輩たちが上司となりました。人並みに過ごしてきたつもりの人生でした。20代、30代は思考停止状態で会社に尽くしてきました。仕事しかしてこなかったわたしは、仕事でも失脚してしまいました。

毎日悩みました。もう居場所がありません。この会社には居たくない。
そして、転職を決意。こっそりと転職活動を始めます。

年収が下がることのない仕事を探さないといけない。なんせ、700万円を失っているのですから。蓄えもありません。子どもたちはこれからお金のかかる年頃です。そこで、外資系のフルコミッション営業の仕事を選択しました。営業には少しくらいは自信があります。というか、営業くらいしかできない。40代にもなって、選択肢は少ない。面接を複数回行い、役員とも面談。妻も転職には賛成してくれていました。転職活動も終盤に差し掛かり、妻も同席しての説明会に参加。その帰りの車の中

【実現損益】

商品	年初来	投資来
国内株式	0.00円	-6,735,195.00円
米国株式 （現地通過表示）	― （―）	― （―）
中国株式 （現地通過表示）	― （―）	― （―）
アセアン株式 （現地通過表示）	― （―）	― （―）
債券	―	―
投資信託	―	―
外貨建MMF	―	―
カバードワラント	―	―
楽パップ	―	―

……。

妻「まあ、今まで貯めてきた貯金、そこそこあるでしょ？」

わたし「……」

妻「イチからやり直さないと仕方ないね」

わたし「……」

妻「ん？　なんか顔色悪いよ。どうしたの？」

もう限界でした。その場で、７００万円の貯金はゼロになっていることを伝えました。

翌日から、わたしの銀行口座は妻の管理下に。こうしてわたしは短期間で、

●７００万円の貯金
●家族の信用
●職場の立場

全てを失いました。死にたくなりました。

でも、死ねませんでした。子どもたちは何も知らない。友人たちも何も知らない。両親も何も知らない。このまま終わるわけにはいかない。諦めるという選択肢は、わたしには許されていない。そう思いました。

ここで諦めなかったことで、人生の風向きが変わり始めます。

今、苦しい。どん底で苦しんでいる。そんなあなたに伝えたい。

夜明け前が一番暗い。

いったん、底まで落ちたらあとは這い上がるだけです。
どうか、1人で抱え込まずに、パートナーに、親しい人に、打ち明けてください。
諦めなければ、きっと転機は訪れます。

11 「X」に出会ってからの3年間

会社での失脚から割と早い段階で、わたしの役職と給料は少し回復しました。おそらく、これまで通りの姿勢で仕事をすれば元に戻っていたと思います。しかし、わたしは外資系企業に転職することを決めていました。あとは東海エリア最高責任者との面談を残すのみ……。

時は2020年、そう、新型コロナウイルスが猛威をふるい出した年です。

社会が混乱し始めていました。新型コロナウイルスの影響で面談に行くこともできず、そもそも世の中が想定していなかった方向へ大きく動いていく可能性もあります。転職はいったん保留にしました。

新型コロナウイルスはすぐには収まりませんでした。移動自粛、外出自粛、感染防止のために自宅待機が推奨されました。これを機に、わたしが勤めていた会社でも自宅でのリモートワークが始まります。

それまで、わたしの仕事は出張が多く、全国を飛び回っていました。前述した通り、時間外労働と出張が圧倒的に多かったため、給料以外の収入を得る手段として毎日時間を要するような副業は選択肢から外れていました。

皮肉なことですが、新型コロナウイルスの影響でわたしは「使える時間」を手にしたのです。

通勤時間や移動時間、面談や現場視察などの仕事がなくなったからです。
これが現在のわたし「いれぶん」の誕生につながります。

2020年3月のことです。

少し時間ができた。初期投資が必要なくて稼げる副業はないだろうか？
そう考えて、書店を訪れた時、たまたま新刊で発行されていた書籍を目にします。

10年稼ぎ続けるブログを創る　アフィリエイト成功の仕組み
河井大志・染谷昌利 著
2020年2月22日初版発行　ソシム株式会社

アフィリエイトブログで稼いでいる人がいる。初期費用もそんなにかからない。それは知っていました。しかし、ブログなんて書いたことないし、それこそ時間が必要でしょ。それに各所で「オワコンだ」と書かれている。もう遅いのだろうな。そう考え、選択肢から消していました。しかし、たまたま出会った本、このタイミングで新刊コーナーにあるなんて……。

立ち読みでパラパラめくってみると、

「ブログはオワコンではない」

そう力強く書かれていました。これは、最後の頼みの綱になるかもしれない。本を購入して帰宅。一気に読みました。その中には、ブロガーのヒトデさんが紹介されていました。そのブログ記事を読んだ時、思いました。

「なんとゆるい感じ……。これなら、自分にもできるかもしれない」

そう思ったわたしは、その日のうちにブログを開設しました。こういう時のわたしは、爆発的に行動します。なにせ、後がないのですから。ブログは立ち上げた。ブロガーさんたちは、皆、「X」でブログ記事を拡散している。じゃあ、自分も「X」始めないとな。

こうして、3月11日に「X」アカウントを開設。

この日、いれぶんが誕生しました。

ここからの3年間で大きく人生が変わります。


もしも、新型コロナウイルスが発生していなければ、わたしは外資系企業に転職していたでしょう。

新しい仕事に追われて、副業をやろうとは思わなかったでしょう。

書店に行った時、アフィリエイトの書籍が新刊コーナーに並んでいなければブログを始めようと思わなかったでしょう。

ヒトデさんのブログが、ゆるい感じの書き口でなければ、ブログに挑戦しようと思わなかったでしょう。

当然、いれぶんは誕生していません。

人生というものは、どこでどうつながっていくかわかりません。

とにかく、諦めてはいけませんね。

さて、ブログを始めて3ヶ月ほど経ちました。

30記事くらい書いたでしょうか……。書いても、書いても、全く読んでもらえません。当然、収益はゼロのままです。ブログと「X」を始めたわたしは朝活を始めました。

もともと6時半に起床していたのを、30分ずつ早めていき、4時半に起きる習慣を作りました。わたしの勤め先の始業時間は9時半。出勤する日は、8時に家を出発すれば十分です。5時〜8時の3時間、毎日朝活をするようになりました。リモートワークの日は、4時間以上も朝活ができます。全く読んでもらえないブログに比べて、「X」は初めからわずかながらの反応がもらえました。「いいね」がもらえる。リプライがもらえる。

朝の3時間は、だんだんと「X」に使われるようになっていきました。最後の頼みの綱として始めたブログ、そのついでに始めた「X」。上手くいかなくても、辛くても、辞めるという選択肢はわたしにはありません。ブログを広めるために始めた「X」。ブログが誰にも読まれない。そもそも、「X」も誰にも読まれない。だってフォロワーさんがいませんもの。そんな中、わたしは何を投稿すれば良いのか？　全くわかりません……。特技なんて何にもない。

経験があるのは、営業の仕事くらい。営業のことをポストする。すぐにネタが尽きる。

フォロワーさんを増やしたい！

辞めるという選択肢を失っていたわたしは、「X」ばかりに時間を費やすようになりました。すでにブログには心が折れかけています。「X」のタイムラインには、

「Xで月50万円稼いだ！」「副業で100万円稼いだ！」

魅力的な言葉が流れてきます。そんな方法があるのだろうか……？　とにかく「X」を頑張れば、何か良いことがあるかもしれない。フォロワー数1万人のことを「万垢（まんあか）」と呼ぶらしい。とにかく、選択肢なんてないのだから、「X」をとことんやってやろう！

今、この原稿を書いている2023年7月の時点で、わたしの「X」のフォロワーは11万人。「X」を始めて2年目には年間7万人ものフォロワー数が増えました。しかし、始めた当初は全く上手くいきませんでした。毎日3時間、仕事が休みの日は1日中。そんなペースで半年間、「X」ばかりやっていました。それでもフォロワー数は1000人に到達するのがやっとでした。数字は伸びず、当然稼げたお金はゼロのまま。

ただ、わたしの人生に少し変化がありました。

「X」には、わたしの知らなかった世界がありました。

朝早くから、意識高く朝活と呼ばれる活動をしている人が多数います。

早朝3時とか4時から「おはようジャパァーン！」とポストが流れ、それに返事をしている人がたくさんいる。ビジネスハックやライフハックと呼ばれる、より良い働き方や生き方につながる知恵やコツを発信している人がたくさんいる。

今まで、自分は何をしていたのだろうか……。

そう感じながらも、「X」からインプットした情報で良いと思ったものを素直に実践していきました。時間の効率化、考える習慣、継続の重要性などが身についていき、だんだん、生き方が洗練されていきます。同時に、自分の過去の失敗や悩み、今の失敗や悩みまでも赤裸々に打ち明け、「X」で発信をするようになっていきました。しがらみのある現実の世界ではとても明かせない、友達や親、家族にも打ち明けられないようなことを発信することで「自分とはどういう人物なのか？」がだんだんとわかってきました。匿名で顔も出さずアイコンを使っていたのが幸いしました。

ひょんなことで始めた「X」。全く稼げていませんでしたが、わたしの人生に良い影響を与え始めていました。「X」で得たアイデアを本業で活かす。本業での経験や出来事を「X」で発信する。効率術を活かすことで、時間の余裕もできていきました。発信活動のルーティンが何となく形になってきた頃、あることに気がつきます。

40代をテーマにしたポストだけ、明らかに多数の反響をもらえている。当時、「X」のタイムラインで目立っていたのは20代、30代の人がほとんど。40代の発信者はあまりいませんでした（わたしの周りには皆無でした）。最初は肩身の狭い思いをしながらも、だんだん開き直り40代についてのポストをするようになり、それに伴いわたしの「X」フォロワー数は増えていきました。

そして、ブレイクスルーを迎えます。「X」を始めて11ヶ月目、40代をテーマにしたポストがバズります。

いれぶん⚡eleven @eleven_s_s・2021年2月9日
40代になってわかった事。「体は資本」「人脈は宝」「経験は資産」「やりたい事はやるべき」「子供は百薬の長」「夢中は最強」「機嫌は自分で取るもの」「恩は回すもの」「一生勉強続けるべき」「趣味で人生は輝く」「苦労と挑戦は買ってでもするべき」「40代は楽しい」「40代からでも全く遅くない」

12.23万 2.23万 244

インプレッション数	エンゲージメント	詳細のクリック数
876万	79万	56万
	新しいフォロワー数	プロフィールへのアクセス数
	23	68,413

このポストにより、たった2日間で4000人のフォロワー数増加。ついにわたしは「万垢」になることができました。ここからわたしの人生は爆発的に、そして上向きに加速していきます。この時を境に一気にたくさんの反応をもらえるようになり、インフルエンサーさんたちにも次々とフォローしてもらえました。

万垢に到達した3ヶ月後の2021年5月5日、わたしは「X」運用のことを書いた有料コンテンツを500円（期間限定、その後値上げしました）でリリースしまし

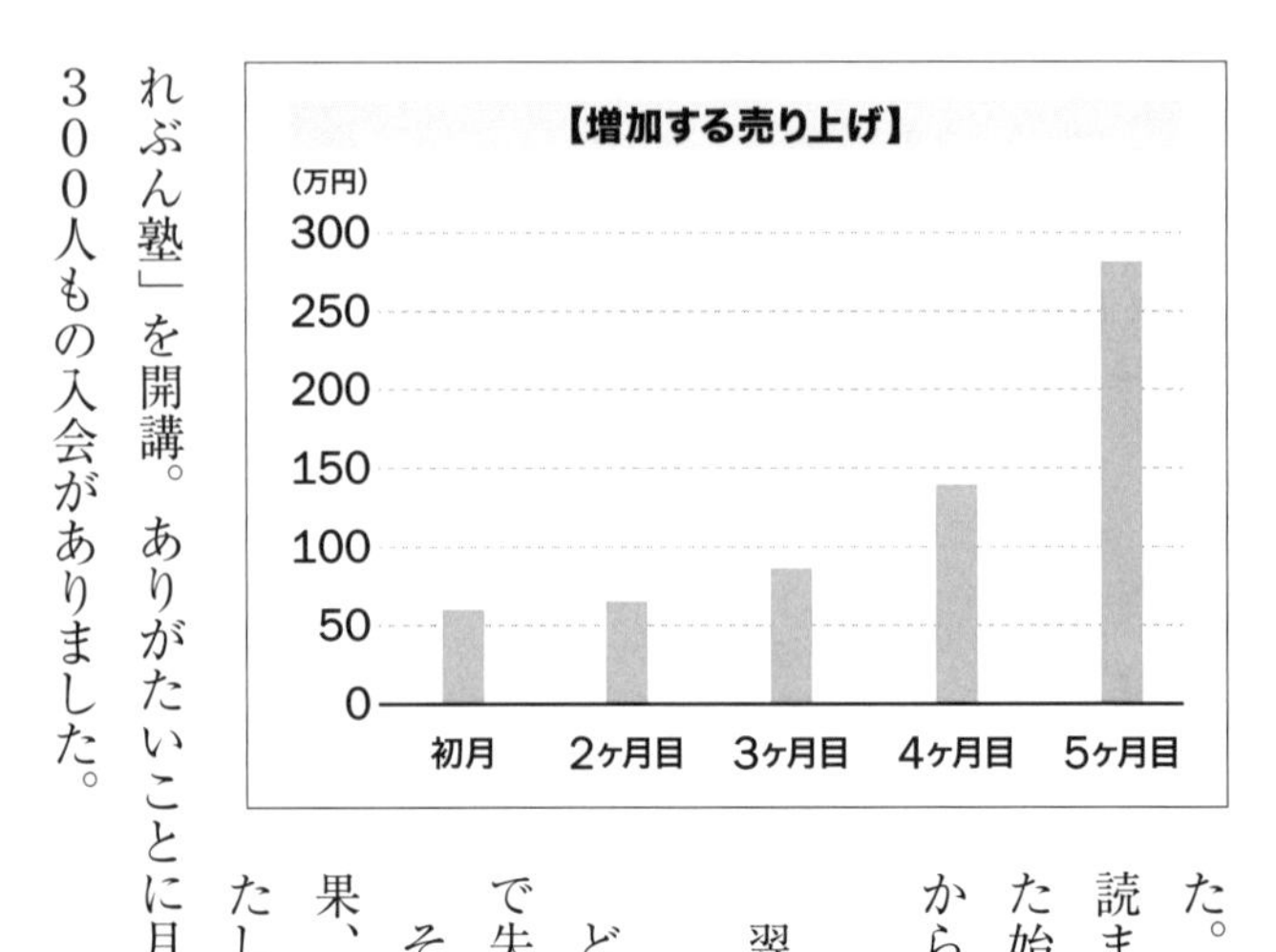

た。ブログも「X」からの流入で急に多数の人に読まれるようになります。「X」をきっかけとした始めてのマネタイズ（収益化）は大成功、初月から61万円の収益を獲得します。

翌月からも次々と有料コンテンツをリリース。

どんどん売上は増加、あっという間に株式投資で失敗した700万円を取り戻せました。

そして有料コンテンツのリリースを続けた結果、相互のコミュニケーションに価値を感じたわたしは、10月11日にオンラインコミュニティ「いれぶん塾」を開講。ありがたいことに月額5500円の有料コミュニティへ、初月で300人もの入会がありました。

同じ頃、ＫＡＤＯＫＡＷＡさんからオファーをもらい、夢の１つだった商業出版を実現。２０２２年８月１日には、初の著書『40代から手に入れる最高の生き方』を出版。

なんと、作家になれました。

その後もフォロワー数、コミュニティの参加者は伸び続け、今では「X」フォロワー数11万人、「いれぶん塾」のメンバーは７５０人以上となり、「X」発の有料コミュニティでは、日本最大級となりました。

サラリーマンとしての年収はピーク時１０００万円（退職金はゼロ、労働時間を考えると時給は安い）を超えていましたが、「X」のおかげで２年で年収は３・６倍となり、副業でやっていける自信がついて12月には念願だった退職を決意。

２０２３年６月、ついにサラリーマンを卒業して発信活動とオンラインコミュニティ運営を本職とすることができました。

「X」の副業で安定した収入を得ることができたおかげで、不動産投資用に金融機関からの借入をすることもできました。サラリーマンのうちに、大きな借入をして、新築木造アパートを2棟建設、合計22部屋の大家さんになれました。この不動産からの収入だけでも家族の生活費はまかなえます。お金の余裕、心の余裕を本格的に手に入れることができました。

「X」を始めて3年半で、「X」がきっかけでの収益は８０００万円を超えました。
株式投資で溶かした７００万円、そして失った家族の信用も取り戻せました。今では、妻も仕事を辞めて家事に専念。家の整理やパン作りなど、自分の好きなことができるようになり、とても穏やかになりました。わたしは朝から散歩やランニングをしてから午前中だけで仕事を終わらせ、午後からはトレーニングジム、そして週に4回、15時くらいからゆっくりサウナでととのいます。

子どもたちにも、家族にも時間がたっぷり使えます。仕事は自分のやりたいことしかしていません。関わりたくない人とは関わらなくても済みます。ストレスはほとんどゼロになりました。

ＹｏｕＴｕｂｅ講演家の鴨頭嘉人（かもがしらよしひと）さんともご縁があり、２冊目として本書を出版させていただくことができました。

中田敦彦（なかたあつひこ）さんのＹｏｕＴｕｂｅ大学にて、著書が紹介されました。どん底だった２０２０年3月から、たった3年間でここまで景色が変わるとは全く想像できませんでした。

わたしは「X」をきっかけにして、「時間」「お金」「心」の３つの余裕を手に入れ、まさに最高の生き方を実現したのです。

お金を稼ぐだけではない価値の高いものを得られる

11 なぜ今、「X」なのか？

突然ですが、質問をさせてください。

1日のうちどのくらいの時間、スマホ、タブレット、パソコンを観ていますか？

けっこう観ているような気がする。そう感じる方がほとんどでしょう。スマホにはスクリーンタイムという、どんなことにどのくらいの時間を使っているか？ 振り返ることができる機能があります。ぜひ、チェックしてみてください。

ちなみに、わたしはこの1ヶ月間の平均値、なんと1日あたり約9時間。

1日24時間のうち、7時間は睡眠していますので、残り17時間のうち9時間。

実に起きている時間の半分以上、スマホやパソコンの画面を観て生活しているのです。

わたしの場合は、朝からコラムを書き、コミュニティに投稿したり、コミュニケーションを取ったり、「X」に投稿、音声メディアのVoicyに投稿、YouTubeに投稿などなど、発信活動、いわゆるアウトプットをする時間がけっこうあります。とはいえ、他の発信者の投稿を読んだり、さまざまなSNSにおいてタイムラインに流れてくる動画を観たり、時にはYouTubeでインプットをしたりします。

わたしの中学生や高校生時代、大学生の途中まではスマホがまだ存在していませんでした。スマホどころか、携帯電話を持ち始めたのは大学2年生の頃。その頃は、とにかく時間が余っていて「暇だな」と感じる日が多くありました。すぐにできる暇つぶしはTVを観るか、TVゲームをするかくらいしかなく、映画やアニメを観たいと思ったら映画館やレンタルショップで借りるしか手段がありませんでした。

何だか大昔の話みたいに思いませんか？　まあ、25年も経っていますので大昔だろ！とツッコミが入りそうですね……（笑）。でも、今の20代くらいの方からすると、想像できない世界なのではないか？　そんな風に思います。

少なくとも、スマホが登場してさまざまな動画やコンテンツに手軽にアクセスできるようになってからは、わたしは社会人になっていたということもあり、この25年間ほどの間「暇だな」と感じたことがありません。

そう、今の世の中は超情報過多時代。

インターネットやＳＮＳの登場により、誰もが気軽に情報発信をできるようになりました。そのおかげで、とても処理しきれない、凄まじく膨大な量の情報が世の中に出回るようになったのです。

今や、ＴＶや雑誌で情報収集する人は一部の特殊なケースを除き、ほとんどいません。特にＳＮＳ、その中でも「Ｘ」は使い方次第で非常に便利に情報収集ができます。取捨選択さえできれば、最も早く、最も有益な情報が手に入るのです。

インターネットには膨大な量の情報が流れています。お店や商品の評価はレビューなどのコメントや採点によって調べられますよね。選択肢の中から購入するものを選んだり、利用するお店を選んだりする際に皆さんも利用されるのではないでしょうか？

中にはポジショントーク（自分の立場を利用して自分に有利な状況になるように行う発言）で関係者が評価やコメントをしていたり、報酬を支払って良いレビューを書いてもらうようなビジネスも存在するなど、ステマ（ステルスマーケティング）と呼ばれる隠れプロモーションに気をつけないといけません。

その点において、ＳＮＳ、特に「Ｘ」は発信をしている「中の人」が見えやすい。過去の投稿ややりとりを見れば、その人が信用できるか、そうでないかが比較的わかりやすい。

ポジショントークばかりしている発信者は人気が出ません。いずれ淘汰されていきます。そんな特性から、「Ｘ」で人気のある発信者であり、自分が共感できる雰囲気を持ったインフルエンサーの投稿している情報は参考にすることができます。

「X」の魅力とは？

わたしはこれをオーガニックな発信と呼んでいます。

自分の好きなインフルエンサーが「これは良い！」と紹介してくれれば、インターネットに存在する膨大な数の選択肢から時間をかけて選ぶ手間がなくなります。誰もが忙しい時代、いちいち選ぶことだけに時間をかけていられないのです。わたしは、毎日9時間もスクリーンを観ていますが、TVを観ることはほとんどなくなりました。たまには、ドラマやお笑い番組などを観ますが、そんな時もCMが流れ始めるとすぐにスマホの画面に視線を移します。

TVCMといえば、長い間、圧倒的影響力を保ってきたプロモーション媒体でしたが、今やその費用対効果からも大手企業でさえも予算を減らし、SNSにおけるインフルエンサー広告など他媒体への予算配分を増やしてきている動きが見受けられます。

インフルエンサー広告は、国内市場規模が２０２３年には７４１億円と２０２０年の2倍超えに拡大する見通しであることが民間企業の調査などでわかっています。今後、数年で雑誌の広告を抜く可能性があるということです。（２０２３年6月18日中日新聞の記事より引用）

今や「X」は各国の政治家や、スポーツのスター選手、世界的アーティストも情報発信に使っています。世界のトレンド、各地の天気、災害の状況、電車の遅延情報までどこよりも早く情報を入手できるツールになってきているのです。

また、アメリカの経済誌フォーブスが毎年発表している世界の個人長者番付でそれまで4年連続トップだったＡｍａｚｏｎのジェフ・ベゾス氏を抑えて２０２２年の1位を獲得したイーロン・マスク氏が、22年10月にＴｗｉｔｔｅｒ社を買収しました。それ以降、さまざまな改革が行われる中、23年8月には遂に広告収益分配が開始されました。

Elon Musk
@elonmusk
購入する

In a few weeks, X/Twitter will start paying creators for ads served in their replies. First block payment totals $5M.

Note, the creator must be verified and only ads served to verified users count.

Googleによる英語からの翻訳

数週間以内に、X/Twitterはクリエイターへの返信で配信される広告に対して支払いを開始する予定です。最初のブロック支払いは合計500万ドルです。

作成者は認証されている必要があり、認証されたユーザーに配信される広告のみがカウントされることに注意してください。

午前8:36・2023年6月10日・**4,015.3万** 件の表示

1.8万 件のリツイート　**3,030** 件の引用　**16.1万** 件のいいね　**2,489** ブックマーク

わたしは20年3月にTwitter（現「X」）での発信活動を開始、わずか3年の間に大きく人生が好転しました。後述しますが、決してお金を稼ぐということだけではなく、「X」には人生を豊かにしてくれる力があります。加えて、ここに書いた現在の時代背景からも、今後「X」は欠かせないものになると確信しています。

11 「X」で稼ぐ方法4種類

「Xでどうやって稼ぐのですか?」


この本をここまで読み進めてくださった方の中にも、ここに疑問を持っている方がいらっしゃるのではないでしょうか?

「X」で稼ぐ方法をできるだけシンプルに、わかりやすく解説させていただきます。

わたしは「X」での稼ぎ方を4種類に分類しています。

❶オペレーター型　❷ライター型　❸プロモーター型　❹プロデューサー型

この4種類ですね。

それぞれ、解説していきます。

1 オペレーター型

別の言い方をすると、運用代行です。例えば、企業のアカウント。

大手企業でも「X」のアカウントを開設して情報発信を行ったり、その企業や商品のファンとのコミュニケーションを取るケースが増えています。中小企業であっても、大きなコストをかけずにプロモーション活動が行えるツールとして便利ですし、アカウントを持っていない企業はそのリテラシーを疑われるような時代にもなってきています。

しかし、ここで問題があります。

企業のアカウントといえど、発信したりコミュニケーションを取るのは人です。

そう、会社の経営者や従業員がオペレートすることになります。

経営者や従業員には、当然のことながら仕事がありますよね。それぞれのポジションにおける役割があるわけです。規模の大きくない中小企業や個人事業主になると、SNSでの発信を任せるためだけに人を雇うことなどできないケースが多い。

経営者であれば経営をしながら、従業員であれば自分の仕事をしながら、「X」の運用をすることになります。これ、ほとんどのケースで片手間になってしまいます。だって、暇な人なんていませんからね。

この情報が流れるスピードが早い現代においては、ほぼ全員がやることだらけなのです。そんな中、「X」に時間を配分することなんて不可能です。

自社のプロモーション、宣伝広告を専門とする部署が存在していたとしても、そこにSNSの専門家がいるケースはほとんどありません。運用には時間と労力がかかります。効果や価値が高いとわかっていても、そこに注力できる構造を作りにくいのです。

新聞の折り込みチラシを自社で作れるのは、広告代理店くらいですよね？

TVCMを自社で作るには、ほぼ不可能です。構造的にはそれと同じなのです。

だからこそ、運用代行にはニーズがあります。大手企業でさえも、「X」の中の人を外注しているケースが多数存在しているのです。

伸び盛りのベンチャー企業であれば、経営者は経営に集中したい。その方が業績を伸ばせますからね。しかしながら、自身の「X」アカウントも運用したい。

その価値は理解しているのです。


更に、個人にも「X」運用代行のニーズはあります。

SNSは「X」だけではありません。Ｉｎｓｔａｇｒａｍ、Ｆａｃｅｂｏｏｋ、ＹｏｕＴｕｂｅ、ＴｉｋＴｏｋ、さらに音声メディアのＶｏｉｃｙやｓｔａｎｄ．ｆｍなど、発信できる媒体は複数あります。影響力が高まってきたインフルエンサーは、次のＳＮＳへの発信力拡大を視野に入れます。コンテンツは横展開することができるからです。それぞれのＳＮＳにはマーケットがあります。

しかし、閲覧している方も、時間の制限があります。

「X」しか使わない人、インスタグラムしか使わない人、ＹｏｕＴｕｂｅしか観ない人、それぞれ存在していますから、認知を拡大していくことができます。

ただし、1人で全てのSNSにおいて発信していくことは難しい。実生活だってありますからね。以上のような理由から、「X」の運用代行には多くのニーズが存在しています。

オペレーター（運用代行）に向いている人は、きめ細かく、まめな作業が得意な人ですね。オペレーター本人に大きな影響力やカリスマ性がなくても、きちんとルール通り、マニュアル通りの作業ができれば運用代行は可能です。

❷ ライター型

次にライターです。文字通り、文章を書く仕事ですね。

具体的には、「X」におけるポスト。つまり投稿の作成を代行する仕事です。

「X」での投稿は、言語化、表現の仕方次第で反響が大きく変わります。

例えると大喜利のようなものです。

大喜利とは？　でググるとこのような結果が表示されます。

「おおむね『司会者が出す《お題》に対して、複数の回答者が、当意即妙に洒落の利いた回答をして面白さを競う』といった遊び・余興・演目、を指す意味で用いられる語」

例えば「継続は力なり」という言葉があります。社会人であれば、これまで生きてきた中で、誰もが一度は実感したことのある言葉なのではないでしょうか？　これに反論する人はいないでしょう。大事であることは間違いありません。

だからといって、

「継続は力なり」はとっても大事。みんな継続しよう。

と投稿しても、面白くありませんし、大きな反響は得られません。

やりたい人は1万人。始める人は100人。続ける人は1人。数をこなすと慣れてくる。慣れてくると上手くなる。上手くなると継続できる。継続のみが成功への架け橋。

このように書いた方が、「継続は力なり」という意味が伝わります。

「X」ではこのような投稿が反響を得られるのです。

また、文章には基礎があります。大前提として、読みやすい文章にする必要があります。だって、膨大な数の投稿が流れてくる中で、読みにくくてストレスを感じるようなものをあえて読もうとは思いませんよね。最低限のルールを学び、数をこなさないと「読みやすい」ライティングはできません。

まさしく、「伝え方が9割」です。

同じようなことがたくさん発信されている中で、読まれる文章を発信している人だけが人気を得ていきます。本を読むのが好きで語彙(ごい)力がある、書くのが好きで得意。そんな方にはもってこいですね。運用代行の中でも、投稿のライティングだけを請け負うライターにも、多くの需要があります。

3 プロモーター型

3つ目はプロモーター。プロモーションを請け負う仕事です。

他者（他社）の商品やサービスを試してレビューをしたり、勧めたりすることによって報酬を得ます。アフィリエイトもこの分類に入りますね。

自分で商品やサービスを持っていなくても、作ることができなくても、大きな発信力と人気さえ持っていればお金を稼ぐことができます。インフルエンサー広告と呼ばれるものですね。最近では「案件」と呼ばれ、1件で数十万円、数百万円という報酬も存在していると言われます。「X」でファンを増やすことで、自分が気に入った商品を紹介し、報酬をもらえる。魅力的なマネタイズ方法なのではないでしょうか？

無論、PRであることを明示したり、本当に気に入ったものを紹介するようにするなどルールを守らないと一気に信用を失ったり、景品表示法などで処罰されますので、ご注意ください。

4 プロデューサー型

最後にプロデューサー。自分でオリジナルの商品やサービスを作り、それを自らのインフルエンス力を使って、必要な人に届けるマネタイズ方法です。

わたしは、オンラインコミュニティの「いれぶん塾」、そして商業出版した書籍、またVoicyのプレミアム放送（有料のサブスクリプション）などの商品を、自分の「X」で紹介、拡散し、利用者や購入者を増やしています。これにより、累計

8000万円を超える売上を実現してきました。自分の商品を自分で拡散する。これをプロデューサー型と読んでいます。

いかがでしょうか？　大きく分けてこの4種類の稼ぎ方があります。

「X」の利用者は年々増え続けています。TVでバズポストが取り上げられるなど、注目度もアップしており、今後も、「X」を使ったプロモーション、PRの需要は増えていくと考えています。

2023年8月、「X」はクリエイター（発信者）への広告収益分配をついに始めました。今は、インプレッション数などのハードルが高めに設定されていますが、今後の展開が楽しみです。

わたしも収益分配を受けることができました。新たなマネタイズの方法として期待できますね。

11 「X」は稼ぐだけじゃないのです

前項では「X」の稼ぎ方を解説しました。

わたしの提唱する、「時間」「お金」「心」の3つの余裕を手に入れる。そして、最高の生き方を手に入れる。心の余裕を手に入れるためには、お金の余裕も必要です。

よーし、「X」を頑張ってお金を稼ぐぞ！！！　ちょっと待ってください。少し落ち着きましょう。お金はたくさん稼げば稼ぐほど良い？　その分幸せになれるのか？

そうではありませんよね。

一定の金額までは、稼いだ金額と幸せの度合いは正比例していくでしょう。

しかし、自分が必要とする金額以上のお金を稼ぐ必要はありません。

過酷な労働で身体を壊したり、ストレスで心を壊していたら幸せになんてなれません。それでは心の余裕は手に入らないのです。多くの場合、お金を稼ぐことと、かかるストレスはトレードオフになります。中には、贅沢なんてしたくないし、本業の収入で十分、将来の生活費も確保できている。そんな人だって存在する。

ここで、お伝えしたいことがあります。

実は、「X」では「お金を稼ぐ」よりも価値の高いものを得ることができるのです。

それは、さまざまな分野でのスキルアップです。

「X」は、見る専門でもさまざまなノウハウや知見、気づきを得ることができます。

しかし、発信側に回ることでさらに大きな恩恵を得られます。

わたしの提唱する「X」の運用方法、それは、

1日1ポストです。

1日1つ、自分でテーマを決めて大喜利をします。毎日、同じ時間に投稿します。

これは、毎日、自分のポストを読んでくれる習慣を持つフォロワーさんを増やすた

め、「お得意さま」を増やすためでもありますが、もう1つ大きな意味があります。

同じ条件での投稿を毎日繰り返すことで、試行錯誤を繰り返すことができるのです。

PDCAサイクルを毎日繰り返すことができるのです。

P／計画　D／実行　C／測定・評価　A／対策・改善

毎日1%で良いので、自己研鑽をする。

1を1・01にする。

それを365回繰り返すとどうなるか？　1・01を365回掛ける（365乗）と、37・8になります。

なんと、37・8倍まで成長できるのです。

すごくないですか？

「X」でPDCAを回し続けることで磨くことのできる、3つのスキルを具体的にご紹介します。

❶ライティング
❷マーケティング
❸コミュニケーション

この3つですね。順番に解説しましょう。

❶ ライティング

ライティングスキルとは書く力です。「Ｘ」はテキスト主体のＳＮＳです。

最近では、画像や動画での投稿も多くなってきていますが、それでも添付されているテキストを読んで画像や動画を観るからこそ、その投稿の意図が伝わります。

人の心に刺さるメッセージにはライティングの技術が必要です。文章には基礎があります。基礎は書籍やコンテンツで学べます。基礎が身についたその先は、センスも必要になります。センスや個性を身につけるにはどうしたら良いか？

数をこなすしかありません。

「Ｘ」は元来、１４０文字のテキスト文章で投稿するＳＮＳです。投稿を作るのに負荷が少ない。慣れてくれれば、10分もあれば十分に練った投稿を作れます。だからこそ、毎日投稿することが容易にできます。専門職の発信者でなくても、忙しい本業のある方の副業や主婦、子育てをしながらでも毎日1投稿は十分に可能です。

ＹｏｕＴｕｂｅやＩｎｓｔａｇｒａｍになると、動画や画像、写真の編集作業などが必要。けっこうな負荷ですよね。そして、「X」の投稿がタイムラインに表示されるのは24時間ほど。

バズっているものを除き、ほとんどの投稿は1日経つと、ほぼほぼ表示されなくなります。

つまり、毎日、測定と評価ができるのです。

毎日書いて、毎日振り返りができる。そして1%の改善をして翌日に活かす。短期間で多くの数をこなすことができます。ちょっとした表現や、ひらがなと漢字の割合、句読点の使い方、音読した時のリズムなどで反応が大きく変わります。

「X」はライティングのスキルを磨くのにもってこいのSNSなのです。そして、ライティングスキルが磨かれるとさまざまな恩恵が波及していきます。書けるようになると、読めるようになります。この文章は、書いた人が何を伝えようとしているのか？ 文章の裏側まで読めるようになってくるのです。さらに、書けることは、話せることにもつながります。主旨や意図、目的、展開、締め方……。文章の書き方を工夫できるようになると、日常の会話にも活かされるようになります。こうなっていると、伝わりにくい。こうすると伝わりやすくなる。コミュニケーションが円滑に取れるようになります。

悩みの8割は人間関係と言われます。

ライティングが上手になることで、コミュニケーションが上手に取れるようになり、行き違いや誤解が減り、悩みが少なくなります。ライティングスキルはこれほどまでに万能。

それが「X」でどんどん磨かれます。

2 マーケティング

次にマーケティングのスキルが磨かれます。マーケティングという言葉が指す意味は幅広く、何となくぼんやりしているように感じる人も多いかもしれません。ここでは、「必要とされるものを生み出し、それを必要としている人に届けること」とでもしておきましょうか。

「X」で毎日投稿をしていると、人々がどんなことを欲しているのか？

どんなことに興味があって、どんなことには興味がないのか？　これがわかってきます。

さらに、必要なものがわかって、それを生み出したとしても、その価値に気づいていない人が多い。潜在需要というやつですね。必要なのに、必要なことにまだ気づいていない人が多いのです。その潜在需要を引き出すには、どのような伝え方をすれば良いのか？　心理学や行動経済学の分野になってきますが、「X」での投稿を継続しているとそれを感覚で掴むことができてきます。多くの人が必要としていることを知り、それを生み出し、必要としている人に届ける（気づいてもらう）ことができたら、どうでしょうか？

ビジネスに役立ちますよね。

事業主と顧客をＷＩＮ－ＷＩＮの関係性に持っていくことができるようになります。言うまでもなく、人間関係でも活かせます。「Ｘ」で発信を続けることで、ライティングだけでなく、マーケティングのスキルも磨くことができるのです。

3 コミュニケーション

３つ目はコミュニケーションスキル。

新型コロナウイルスにより、日本においてもリモートワークやＷＥＢミーティング、チャットツールなどによるデジタルコミュニケーションが普及していきました。

実際に会って同じ空間で話をしているのに比べると、ＷＥＢカメラを使って、お互いの顔を見ながらであっても、相手の雰囲気・様子って感じ取りにくくないでしょうか？

相槌（あいづち）や仕草、身振り手振りがないと雰囲気や空気感が伝わってきません。

これがテキストだけになるとなおさらです。

無機質な言語だけでは、気持ち・感情を表現するのに限界があります。言葉尻一つ取っても、「もしかして機嫌悪い？」「怒っている？」と心配になったりします。「X」ではテキストでコミュニケーションが取れます。

投稿に対してのリプライ（コメント）、その返信、引用などで投稿主とのコミュニケーションを取ることができるのです。わたしもそうですが、「X」には顔を公開せず、イラストアイコンを使って運用している人も多く存在します。会ったことのない人同士が、行き違いや誤解の生じやすいテキストだけでやりとりをしており仲良くなって、フォローし合ったり、友達になって実際に会ったりすることもあります。「X」を通して、テキストベースでのコミュニケーションを繰り返すことで、現代ではとても役に立つコミュニケーションスキルが手に入ります。仕事でも、プライベートでも大いに役立つでしょう。

11 会いたい人に会える！

「X」におけるメリット、実はまだあります。最大の魅力であり、最大の効用……。それは、

会いたい人に会えるようになる。

「X」運用を続けることで、フォロワー数やファンになってくれる人の数が増えてくると、発信力や影響力がついてきます。そうすると、それまでは考えられなかったような人たちと会えるようになるのです。

人との出会い。これこそが、「X」を続けることの最大のメリットです。

「憧れの人」と会えるようになるのです。

フォロワー数なんて、ただの数字……と、言いたいところですが、フォロワー数の多い人は、「X界で認められている人」として見られるようになります。

フォロワー1万人でも、フォロー1万人ではダメですよ。相互フォローでフォロワーを増やすのは難しいことではありません。フォロー100人でフォロワー1万人のアカウントであれば、「X」界で認められている人ですよね。

何らかの理由で人気のある人、何らかの実績を作ってきた人。

だから、会うことで学びを得られたり、良き刺激をもらえたりするのではないか？　そんな風に思ってもらえるようになるのです。

さらに、「X」では過去の投稿やリプライのやりとりを遡ってチェックすることだってできます。信用・信頼できる人かどうか？　が、ある程度はわかってしまうのです。

わたしがフォロワー数6000人になった時に、不動産投資のことを学びたくて「波乗りニーノ」さんという不動産界のインフルエンサーさんに「X」で「会いたいです!」とメッセージを送り、快く「是非、お会いしましょう!」とお返事をもらえました。

はじめて「X」で知り合った人と会うことになり、緊張はしましたが、はじめて会ったわたしにとても親切にしてくださり、一緒にいた3時間ほどで本当にたくさんのことを教えてもらいました。そのおかげで、未経験から不動産投資に挑戦、今ではアパート2棟22部屋の大家になることができ、満室で運用することができています。

フォロワー数が1万人を超えた頃からは、本当にたくさんのインフルエンサーさんからフォローしてもらえることになり、これまで多くの方と実際にお会いする機会がありました。

環境はいとも簡単に人を変えます。

自分を変えたい人には、環境を変えることこそが、一番手っ取り早い方法なのです。

世の中には、多くのことを成し遂げている人、そうでない人がいますよね。でも、

1日が24時間であることは万人平等で誰一人として例外はありません。では、多くのことを成し遂げている人とそうでない人は何が違うのか？　一言で表現するのは難しそうですが、少なくとも同じ思考や行動をしているとは思えませんよね。

「身近にいる5人の平均年収が自分の将来の年収になる」

この言葉、聞いたことありませんか？

わたしはサラリーマン時代、20年かけて年収を1000万円まで上げました。その会社では、1000万円以上の年収の人はほとんどいませんでした。わたしの年収もそれ以上になることはありませんでした。それ以上の努力をすることはできませんでしたし、努力の仕方もわかりませんでした。しかし、今ではわたしの周りには年商1億円を個人で稼ぎ出すような経営者が多数います。そのような経営者と実際に会えるようになりました。それだけでわたしの思考や行動は変わりました。

年商1億円は可能なんだ。マインドブロックが外れます。

1つエピソードを紹介させてください。これを書いている前日まで、わたしは東京にいました。「X」で知り合った経営者さんたちと会ってきたのです。

東京ではこんなことを感じました。

- **自分よりも遥かにストイックに取り組んでいる**
- **自分よりも他者貢献の精神にあふれている**
- **自分よりも気遣いが半端ない**
- **自分よりも目標、視座が高い**

思えば、この2ヶ月間、わたしは地元の岐阜にとどまり、ただ日々のルーティンをこなしていました。やるべきことはやってきたつもりでした。

でも今回、久しぶりに外に出てみて思ったのです。

ちょっと、ぬるま湯に浸かっていたなと。

会って話をしたのは、結果を出している人ばかりです。その人たちと、自分との明確な差を感じた時、わたしの心の中には「悔しさ」が湧き上がってきました。1週間ほど前から、本書の執筆を始めました。1日3000文字をノルマとして、自分に課しました。

最初の4日間こそ順調でしたが、金曜土曜日曜と3日間、書けず。

3000文字はきついな——。そんな風にうっすら感じていました。

しかし、東京での刺激を受けたわたしは、昨日だけでスムーズに6500文字を書くことができました。それでも、何だかやり足りていない感覚に襲われます。

こういうことなんだと思います。

3000文字を多いと感じている人は、3000文字を書くことができません。でも、周りにいる人が全員、1万文字書いていたらどうでしょう？　3000文字なんて、少なすぎる。急にそんな風に感じるようになります。そして、実際にすんなり書けます。

これこそが、環境の力です。やれないのではないのです。
やれることを知らないから、やれないと思い込んでいるだけです。

「X」運用を続けていくと憧れの人と会える。自分を引き上げてくれる人に会える。
これは凄まじく大きな価値を持っています。

真の「X」運用法

いよいよ、この書籍の最大の読みどころ、3年間で大きくわたしの人生を変えた「Ｘ運用の真髄」を余すことなくお伝えしていきます。

２０２３年3月31日、イーロン・マスク氏は「Ｘ」のアルゴリズムを公開しました。このアルゴリズムを意識し、運用の方向性について右往左往しているアカウントも多いように見受けられます。

しかし、アルゴリズムは日々変更されていきます。現Ｘ社が「Ｘ」のプラットフォームを最適化するために、日々ブラッシュアップし続けているわけです。全てのＳＮＳにおいても同様ですが、Ｘ社は自分のプラットフォームに人を増やしたいのです。

Ｘランド、インスタパーク、ＴｉｋＴｏｋスタジオという風に、それぞれアミュ

ーズメントパークを運営しているとイメージしてください。パークを黒字運営するためには、来客数を増やす必要がありますよね。X社はさまざまな施策を投じていますが、最終的には人がたくさん集まって、より価値の高いプラットフォームにしていきたいというのが、X社が目的としていること。

そういった中で、自分のアカウントがどういう動きをすると、X社に優遇されるのか。こういう考え方を軸としておけば、アルゴリズムの変更やトレンドの変化に右往左往する必要はありません。

「X」をきっかけにして最高の生き方を手に入れる。そのためには、フォロワー数やファンを増やしていきたいですね。

それでは、何をやっていけばいいのか？　ここから解説していきます。

題して真の「X」運用法。

四部構成でまとめてみました。
抽象的な内容からだんだん具体性が上がっていくという流れになっております。

最初に結論をお伝えします。

「X」運用は、

❶適切な目標
❷正しい努力
❸継続する力

この3つが揃えば、ゼッタイ伸ばせます。適切な目標を設定して、それに対して正しい努力をしていく。そして、継続する力を持っていれば、伸ばしていけるのです。

それでは参りましょう。

第一部　マインド

ここでは、必要不可欠な3つのマインドについてお伝えします。
必要不可欠な3つのマインドとは、

1 目標　**2 行動**　**3 継続**

目標を持って、正しく行動して、継続する力があれば、「X」は伸びます。しかし、ただ単に目標を立てて行動して継続するだけでは、ダメです。

目標、行動、継続、それぞれに対して、こういう考え方、こういうマインドを持っていないと意味をなさないというところをお伝えしていきます。

1 目標

なぜ目標が必要なのか？　これ、皆さん、考えたことありますか？
ほとんどの方はありますよね。わたしも目標の必要性については頻繁に発信しています。なぜ、目標が必要なのか？

なぜなら人は迷うからです。

1回決意したことも、少し時間が経つと、いとも簡単に揺らいじゃったりします。楽をできるんだったら楽なほうに流れたいというのが人間ですよね。そして、人は忘れます。

この本を読んで感じていること、皆さんありますよね？　今は、覚えています。
しかし、一晩寝て明日になって、全く同じように感じたことを覚えているでしょうか？　ほとんどの場合は忘れちゃいます。迷ったり、楽をしたいと思ったり、忘れる。それが人なのです。だからこそ、目標を設定する必要があります。

目標を設定しておけば、迷わなくなりますし、楽をしたいなと思った時に、「いや、私にはこの目標があるんだ」と、ここにたどり着きたいという思いが蘇ってくる。

楽をしたいけれども、ちょっと我慢をしよう。嫌だし、ストレスなのだけれども、今はやっておこうという気持ちになれる。気持ちを忘れたりとか、やっていくべきことを忘れてしまった時に、目標を見直す。そうすることによって明確に思い出すことができる。

目標を立てる時に効果的なポイントが3つあります。

1 数字を使いましょう

数字を使うと、相対的に見ることができます。

目標というのは、たどり着くために日々コツコツと進み続け、近づいていかないといけないものです。数字で目標が表現されていないと、そこに近づいているかどうかが明確に判断できません。ぼんやりとしてしまうのです。

達成できたかどうか？　第三者が見てもわからない。これでは評価もできません。数字を使うことによって進捗確認や評価ができるようになります。数量、そして時間ですね。

いつまでにどれぐらいの数のものをやるのかということを、数字を使って表現しておきましょう。

2 具体的に言語化すること

目標はなるべく具体的に因数分解していって、言葉にしておく。

自分だけじゃなくて、第三者が見たり聞いたりした時に瞬時に理解できるような。数字を使えないという表現もありますからね。これを言語化していくということ。

「時間の余裕を手に入れる」

ただ、これだけではなくて、

「2025年の11月前には、昼の12時までに1日の仕事を終わらせられる。午後はジムで汗を流したり、昼寝をしたり、15時以降はサウナでのんびりととのって早めの夕食を家族で楽しめる生活をできるようにする」

このくらいには具体的に言語化しましょう。

3 自分に好きなことを知る

これは、けっこうできていない方が多いと思っています。

自分の好きなことって何なのか？　それは、夢中になれることです。夢中になれることをし続ける。これこそが理想の生き方です。

自分の「幸せ」とはどういう状態なのか？　意外にも真剣に考えてない人が多い。

子どもの頃は、誰でも「自分の好きなことを」を知っています。

でも大人になって、日々の生活がルーティンになってくる。毎日同じことを繰り返すようになってくると、夢中になれることや、理想の生き方、自分の幸せを見失ってしまいがち。

これを真剣に考えるのです。考えて、考えて……。

自分の好きなことって何だろう？　と考えることを習慣にする。

「あなたの好きなものって何ですか？」と質問された時に、すぐに明確に答えられるという状態を作る。

これは目標設定において、非常に大切なことです。なぜなら、自分の好きなこと、夢中になれること、理想の生き方、自分の幸せというものが目標に含まれていると頑張れるからです。達成したい。そこにたどり着きたいというモチベーションを失わずに、ずっとキープできる。とても大切な要素です。

この3つを目標設定する時のポイントとして覚えておいてください。

もう1つ、目標設定で大切なことがあります。

わたしの提唱する「最高の生き方」の源泉となる、3つの余裕。

「時間の余裕」「お金の余裕」「心の余裕」ですね。


その中の1つである「お金の余裕」、事業やビジネス（マネタイズ）。

お金を稼ぐ手段が自分の好きなことであると、夢中になって取り組めますよね。そして社会貢献できることでないといけない。言い換えるとニーズや需要でしょうか。

誰かの役に立つことでないと、価値というものは生まれません。社会貢献できること、すなわち誰かの役に立つことをして、お金をもらうことができる。それが、自分の好きなこと、夢中になれること、いつまでもやっていたいこと。

ここが交わっているところに目標を設定できると、上手くいきます。


「X」運用でいうと、「X」の発信していくコンセプト、いわゆる発信軸というものが、好きなことと社会貢献の交わった部分で設定できると、とても強いということです。
世の中の成功者は、目標設定の精度が高い。目標が自分の幸せにつながっている。
自分のやりたいことや、夢中になれることにつながっている。具体的にとても詳細なところまで設定ができている。これは、成功者の方の特徴の一つです。

目標設定9割。

わたしの感覚だと、目標設定さえ的確にできれば、もう9割くらいの確率で、夢にたどり着けるのではないかなと思います。そうなれば、「X」もゼッタイに伸ばせます。

2 行動

次にマインドの2つ目、行動について。行動する上での3つの大前提。

この3つを覚えておいてください。

1. **数をこなす**
2. **能動的である**
3. **失敗は学びである**

当たり前の話なのですよね。でも、継続していく途中で心が折れて、ちょっと停滞してしまったりとか、知恵が回らなくなってしまったり、休んでしまったりというのが、辞めてしまう理由の中ではとても大きな割合を占めるのではないかなと思います。

そうならないための考え方としてお伝えしておきたい3つです。

1 数をこなす

何事も成し遂げるためには、数をこなすことが前提になります。数をこなさないうちから良い結果なんて出ませんし、成果も出ません。出たとしても、それは長く続きません。

数をこなすということで慣れる。そして、少しずつ上手くなる。

数をこなさないうちから「上手くできない」とボヤく人がいます。そんなの当たり前でしょ。できると思うのはエゴです。数をこなすことを前提としてやっていく。

これ、覚えておいてください。

2 能動的である

常に能動的であること。

言われたからやるのではなく、自分が望むからやる。わたしがこの本で書いていたから、やれと言われているからやる。そうではなくて、最終的には自分で「やる」と決めることが重要です。わたしはヒントをお伝えしているだけです。

「こういう風にやるといいんじゃないか?」ということをお伝えします。でも、最終的にそれをやるかどうかというのは皆さんが決めるのです。決めてほしい。

というか、決めないといけないんですよね。

なぜなら、自分で決めることによって行動が生きてくるからです。お仕事でも同じですね。指示されたことであっても、最終的に自分の意思で受ける。自分で決めてやったことであれば、言い訳ができなくなります。誰かのせいにすることもできません。能動的に受けて、能動的に行動することによって、初めて本当の成果につながっていきます。

3 失敗は学びである

失敗はできるだけ、たくさんしましょう。失敗は恥ずかしくありません。失敗は恐ろしくありません。どんどん挑戦して、数をこなして、失敗をたくさんしたほうが成長できます。失敗せずして大きな成功を掴んだ人は1人もいません。

この3つの大前提、覚えておいてくださいね。

行動のマインドにおいて、もう1つお伝えしたいことがあります。それは、成功者から学ぶということ。これもとても大切です。そして、意外とやってない方が多い。「X」での発信軸を考える際、過去の自分の経験のみから誰かの役に立つことを探そうとなりがちです。しかし、世の中には既にたくさんの成功者がいます。新たな成功者もどんどんと現れます。時代は常に新しく流れていくわけです。過去の自分だけではなく、新しい学びをどんどん吸収していかないと、時代の流れにはついていけません。

「X」のタイムラインを見ると、新たな成功者、インフルエンサーたちが日々成功の経験に基づく知見を発信しています。自分も素直に謙虚にインプットをし続ける必要があります。

そして、自分の憧れの人に会って話をするとか、1つ上のステップにいる人たちが集まっている環境に身を置くことにより、自分をブラッシュアップし続けないといけません。

インプットとブラッシュアップは一生欠かしてはいけない。これを欠かしてしまうと、せっかくの行動が生きてこなくなります。覚えておいてください。

3 継続

3つ目のマインドは継続です。

ただし、単に継続するだけではダメです。継続するのにも不可欠な3つの要素があります。

❶思考
❷集中
❸研鑽

継続に欠かせない3点セット

❶ 思考

はっきりと申し上げます。ただ続けるだけでは無駄になります。数をこなしていくと、失敗をしますよね。恥ずかしい思いもします。そんな時、その失敗を活かすためには、思考が必要です。思い出してください。1日1%の成長を1年続けるとどうなるか?

1・01を365回掛けると、37・8になる。37・8倍の自分になれるのです。考えることを忘れちゃダメです。もったいない。

② 集中

そして、集中する。ただ考えるだけじゃなくて、集中して考える。

1点集中です。1個ずつ集中して考える。これは、何のために継続しているんだろう？　と自問自答を繰り返す。継続しているからには、成果につなげていきたい。

ぼんやり考えていては、成長はありません。

③ 研鑽

研鑽、ちょっと難しい言葉です。難しい表現ですけれども、刃物を研ぐように自分を磨いていくということですね。ぼんやりとではなくて集中して考える。そして、自分を磨いていく。磨ける要素を常に探していく。

これが継続に欠かせない3点セットです。

継続は力なり。

よくできた言葉です。

しかし、ただ継続するだけでは力になりません。必要不可欠な3つのマインドは、目標、行動、継続。目標と行動が適切であれば、継続できます。

向かっていく先が明確になっていて、そしてそこに向かっていく行動が適切なものであれば、成果が見えてきます。成果が見えてくれば継続できます。楽しくなってきて、継続できます。気がつけば習慣になり、さらに継続できることでいずれ一流の域に達することができる。

是非、この3つのマインドを覚えて、身につけていただければと思います。

11 第二部　大原則

ここでは、「X」運用を伸ばすための3大原則についてお伝えしていきます。
3大原則とは、この3つです。

1 有益なコンテンツ

2 十分なインプレッション

3 良質なコミュニケーション

1つ目に有益なコンテンツ。「X」で言えばポストですよね。投稿に有益性があることが必要です。そして2番目に十分なインプレッション。良いコンテンツが生み出せても、誰にも見られなければ、そこに価値は生まれません。十分なインプレッション（表示される数）を確保していく必要があります。そして3つ目に良質なコミュニケーション。SNSはコミュニケーションツールです。有益なコンテンツだけを発信していく。コンテンツによほどの力があれば、それだけでも伸びていくとは思いますが、どうせなら良質なコミュニケーションを加えて行った方がより大きく伸ばせます。

前章で書いた通り、「X」は発信力を高めてお金を稼ぐためだけのものではありません。「X」の価値を受け取っていく、時間をかけて運用するからには価値を十分に受け取っていく。そのためには良質なコミュニケーションを取っていくことが必要です。

伸ばすための3大原則、それぞれ解説していきますね。

1 有益なコンテンツ

有益なコンテンツに必要なものは何でしょうか？

1. 多くの人に役立つ
2. わかりやすい
3. 他には見られない

この3つですね。多くの人の役に立つ。ものすごくニッチな、日本では3人ぐらいしか役に立たないようなもの。それも有益なコンテンツなのでしょう。

しかし、それだとやっぱり伸ばせないですよね。そうなんです。多くの人の役に立つコンテンツを生み出していくことが必要になります。そしてわかりやすさ。中身がいくら有益であっても、伝わらなければ意味がない。そして、他には見られない。ここ、見落としがちですので気をつけてください。いくら役に立つもので、そしてわかりやすくても、同じものがたくさんあっては価値を生みませんよね。皆さんもそんなものいらないですよね。

時間を奪われちゃうだけで、むしろネガティブな感情が出てくるのではないかと思います。

多くの人の役に立って、わかりやすくて、他には見られない。

この3つの条件を満たしていくためには、工夫が必要になります。

例えば、ライティングスキルを使います。


「伝え方が9割」でしたよね。


有益なコンテンツ、有益な情報ってどんなものだろう?

世の中にまだ出回っていない情報? 誰も知らないけど、私だけが知っている情報?

そういうものをイメージする人が多いかもしれません。でも、そうではありません。


「X」は大喜利です。

世の中にもう既にあるもの、そしてＧｏｏｇｌｅで調べればいくらでも出てくるもの。その伝え方を工夫することによって、独自のコンテンツにしていくことができるのです。

今や、莫大な数の情報がインターネットには存在しています。

知りたいことがあった時、調べればすぐに答えを見つけることができますよね。

「X」でも調べることはできます。

しかし、それよりも自分が好きな人が毎日投稿するものを見たりと、おすすめとしてタイムラインに流れてくるものを見ていく中で、「確かにそうだな！」と、もともと知っていたことだけど、こんな風に言われると確かにそうだな！　こういう体験をユーザーは求めています。だからこそ、有益なコンテンツというのは、伝え方が9割。ライティングが重要なのです。ライティングが上手であれば、どんな情報であっても、多くの人の役に立つように変身させることができます。そして、わかりやすさも追加できます。さらに、その人の独自のライティング、書き方、書き味、書き口があれば、他には見られない独自性というものも出していくことができます。

これは、大きなヒントですよ。ライティングを磨きましょう。そう、「X」での定期投稿を続けていくこと。それがライティングスキルの向上につながります。

❶多くの人に役立つ
❷わかりやすい
❸他には見られない

繰り返しになりますが、
この3つのポイントを押さえたコンテンツ、ポストを作っていきましょう。

2 十分なインプレッション

十分なインプレッションに必要なもの。

これには、「X」のアルゴリズムを理解する必要があります。現在(2023年7月)、インプレッションを獲得するためには、「おすすめ」に出てくるか、出てこないかが重要になってきます。

1. リポストをたくさん得る
2. リプライをたくさん得る
3. そしてバズを生み出す

この3つが重要です。この3つを徹底していくのですが、もちろん、工夫が必要です。

皆さん、どうでしょうか。考えていますでしょうか。

日々、ポストを作る時。リポストをたくさん得られる。
そんなポストって、どんなポストなんだろう。

リプライをたくさん得ることができる。どんなポストなんだろう。そして、毎回バズを生めるようなポストを考えているか？　大切なのは、こういうところです。

私はこの3つを欠かさず考えてきました。「X」を始めてからずっと。毎日ですね、毎日バズるつもりで、バズを出すつもりでポストを考えてきました。

それには工夫が必要です。

インプレッションを高めるのには、リポストを多く得て、リプライを多く得て、そして返信する。バズを生み出す。これが有効なことは、ほとんどの方、全員わかってらっしゃると思います。これらは、工夫しないとできないです。

では、皆さんは工夫していますか？　という話です。いかに頭を使えているかということです。ヒントをお伝えします。

たとえばこれ（左ページの図）。

質問系のポスト

自分が使って良かったと思ったものは、誰かに伝えたい。そんな気持ち、誰もが持っていますよね。すごく良いもの。それを自分は他の人よりも先に見つけたんだよ！

推し活のパワーの源ってこれだと思うのです。まだブレイクしていないアイドルを、地下アイドル時代から見つけて、初期の頃から応援して、そのアイドルが成功してビッグになっていく、ブレイクしていく。そういう過程の中で、私はもうこんな前から知っていたんだよっていう、その優越感。これ、人の心理としてあると思うのですよね。

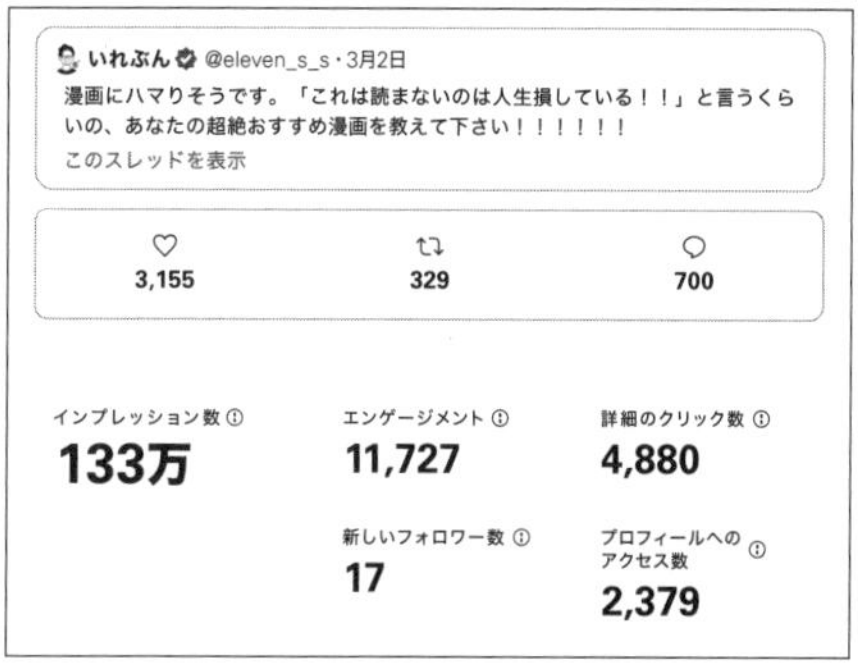

そういう気持ちをくすぐっているのが、『「2022

いれぶん @eleven_s_s・2022年12月29日
教えてください！！「2022年、これ始めたらめちゃくちゃよかったよ！」という習慣、リプ欄にお願いします

2023年、始めてみます

3,983　444　510

インプレッション数 108万
エンゲージメント 14,537
詳細のクリック数 5,519
新しいフォロワー数 15
プロフィールへのアクセス数 3,658

いれぶん @eleven_s_s・3月2日
漫画にハマりそうです。「これは読まないのは人生損している！！」と言うくらいの、あなたの超絶おすすめ漫画を教えて下さい！！！！！！
このスレッドを表示

3,155　329　700

インプレッション数 133万
エンゲージメント 11,727
詳細のクリック数 4,880
新しいフォロワー数 17
プロフィールへのアクセス数 2,379

年、これ始めたらめちゃくちゃよかったよ！」という習慣、リプ欄にお願いします』という質問系ポスト。

これ、皆さん書きたいと思うのですよ。結果、インプレッションは100万超え、500件以上のリプライがもらえた。

そしてもう1つ。マンガです。マンガを読んでいる人はたくさんいます。これを読まないのは人生損してる！　っていうおすすめ漫画を教えてほしい！　自分の推しを誰かに伝えたいという感情を刺激しているポスト。

これは、インプレッションが133万。リプライはなんと700件です！

工夫とは、こういうところに目をつけるということです。さらに、手を変え、品を変え、横展開していくこともできます。そしてバズですよね。バズが起こるとインプ

全世界のテンパってる人に見てほしい。

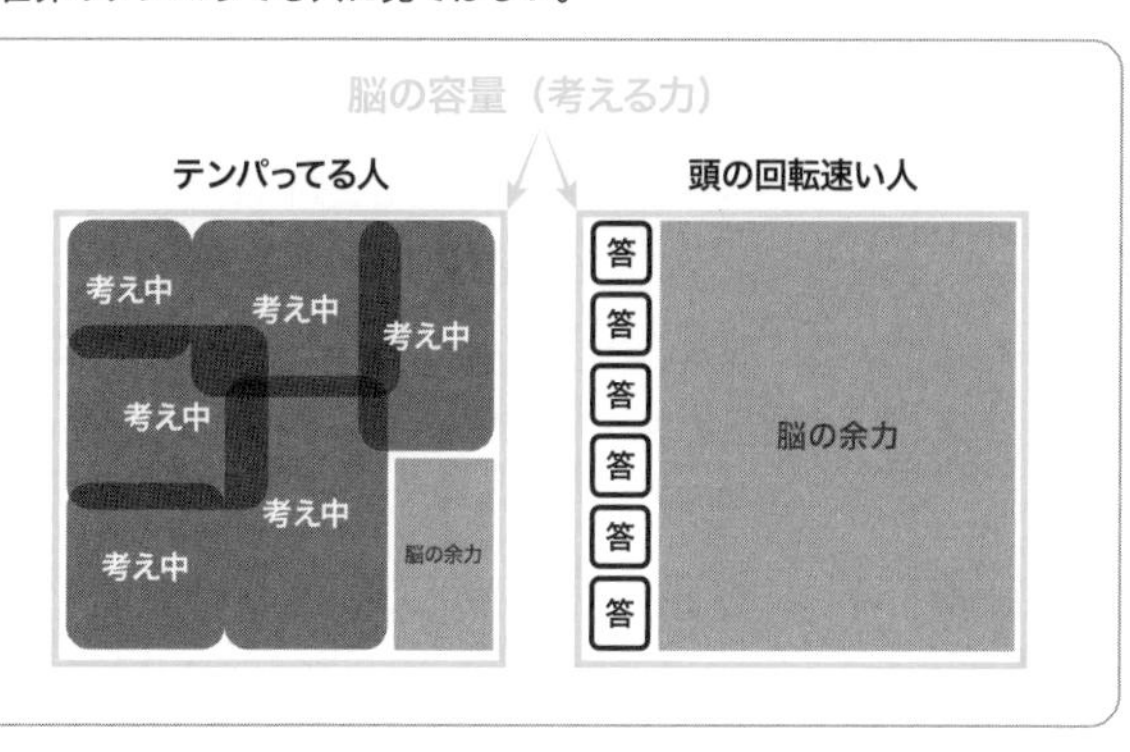

午前6:01・2023年3月17日・**548.1万** 件の表示

ツイートアナリティクスを表示

6,479 件のリツイート　**1,043** 件の引用　**4.5万** 件のいいね　**2,580** ブックマーク

レッションが爆発する。

　ちなみに上のポストは、なんと548万インプレッション。バズって起こせるのです。毎日狙っていれば、バズは起こせます。バズなんて、偶発的にたまたまでしか起こらない、そう思っちゃっている方も多いと思いますけれども、決してそうではありません。バズは起こせます。

　次ページの図は、「いれ

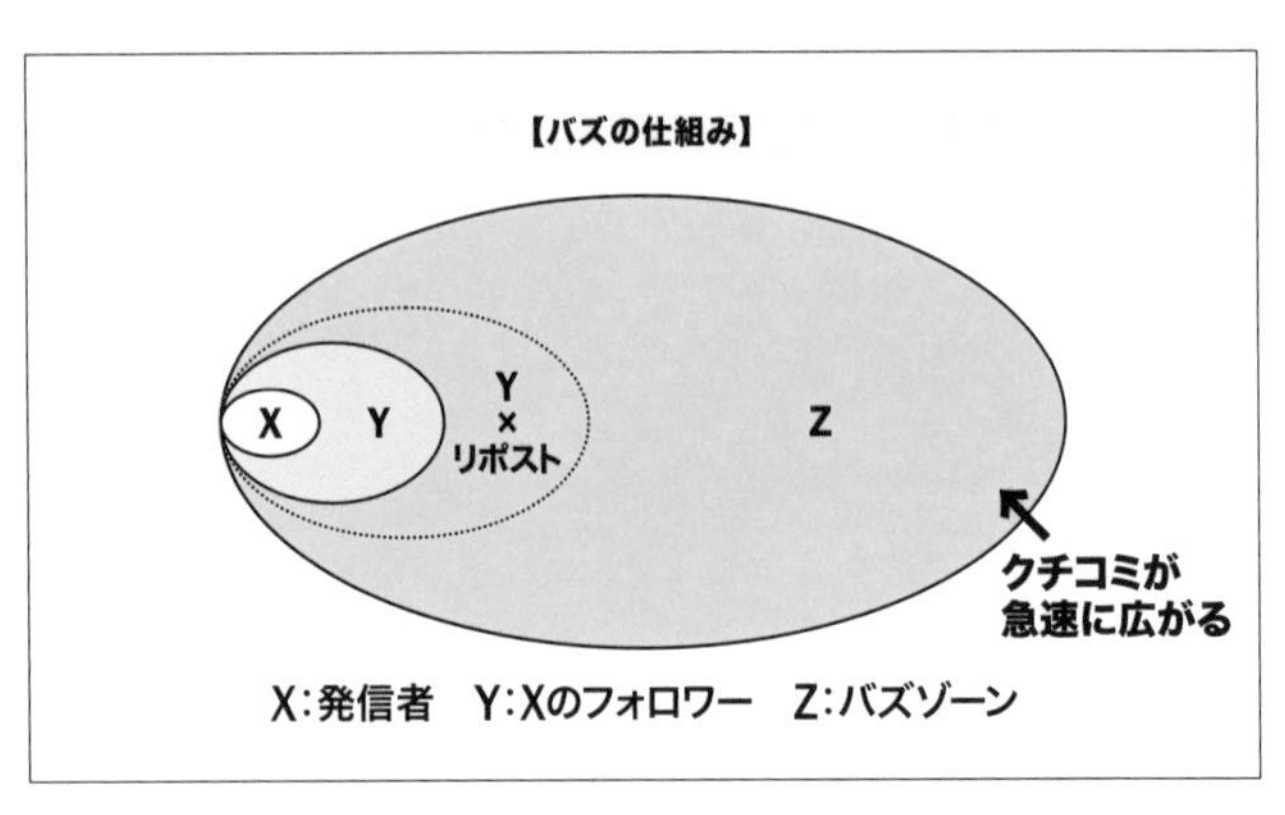

ぶん塾」というわたしのオンラインコミュニティで公開しているコンテンツからの一部抜粋です。ここではバズの仕組みを図解化しています。

まずはバズを理解しましょう。

自分がX、そしてYが自分のフォロワーさん。通常は自分のフォロワーさんと、この自分のフォロワーさんがリポストしてくれた層であるY×リポストのエリア。このあたりぐらいまでしか広がりません。しかし、そこからYのフォロワーさんだったり、あとはタイムライン、アルゴリズムに乗って、ちょっと影響力の高いアカウントに拡散（リポスト）とかしてもらえるようになると、一気にZのバズゾーンまで広がっていきます。

口コミが口コミを呼ぶ。そういう状況が発生して、爆速的に広がっていきます。

バズに必要な5つの要素。

- **アハ体験**
- **感動**
- **広いターゲット**
- **わかりやすさ**
- **トリガー**

脳科学者の茂木健一郎さんがよくお話しされているアハ体験。皆さん、「世界一受けたい授業」で観たことはありませんか？　日本語でいうと、

腑に落ちる。

そして、これだけのものが揃えば、バズは起こせます。インフルエンサーの人に拡散してもらう。

これもインフルエンサーの人と事前に仲良くなっておけば、自分が良いポストを発信した時に、拡散してくれるようになります。

こういう人が複数現れると、無限に広がり続ける。そういう環境を作っていく。これもバズを生むための、日頃からできる動きです。

3 良質なコミュニケーション

さて、価値のあるコンテンツを作り、十分なインプレッションを確保できました。
次に重要なのは、この良質なコミュニケーションです。

「X」における良質なコミュニケーションとは何なのか？
シンプルに言語化してみましょう。

- **拡散してもらえる友達を増やす**
- **リプライをしてくれる友達を増やす**
- **フォローしてもらえる友達を増やす**

この3つですね。リプライをする時、引用をする時、いろんな方法があります。

拡散してもらえるには？　拡散してくれるような友達を増やすには？　リプライをしてくれる友達を増やすには？　自分からどういうリプライをすればいいのか？　どういう言葉づかいをしていけばいいのか？

などなど考えます。

距離感はどうするのか？　あんまり距離感が遠いと、気軽にリプライしてくれませんよね。

そうかといって、最初から懐に入りすぎるのも失礼です。最終的にはフォローしてくれる友達を増やしていきたい。コンテンツを気に入ってもらってフォローしてもらえるというパターンもあります。でも、そうじゃなくて、仲良くなったから、友達になったからフォローしてもらえる。このパターンも大切にしたい。

はい、気づきましたね。ここにも、工夫がいるということです。

以上のようなことを常に考えて、工夫してアクションできるかどうか？　考えて、行動する。

工夫しながら。考動していきましょう。コミュニケーションを取る上では、相手の性格、相手のスタイル、気質なども考える必要があります。

わかりやすいコツがあります。

それはリアルの人間関係と一緒だということ。あなたは日頃、どんな人と友達になりたいですか？　自分が友達になりたい人って、どんな人なんだろう？　ああ、友達になりたい！

そんな風に思える人の振る舞いをイメージして、「X」上でしていくということですね。

そして、自分の「X」上での人格を作っていく。シンプルに、友達を増やしていくための考動をしていきましょうということです。

少し、まとめましょう。

「X」を伸ばすための3大原則。

有益なコンテンツ、そして十分なインプレッション、良質なコミュニケーション。

考える、そして工夫する、検証する。

これを毎日繰り返しましょう。有益なコンテンツ、十分なインプレッション、良質なコミュニケーションを生み出すために、「X」運用をしましょう。

「X」に費やせる時間は1日30分の人もいれば、1時間の人もいれば、2時間かけている人、3時間かけている人もいます。毎日、必ず、この3つの原則を考えながら、工夫して、行動をして、そして翌日、数字を見て検証する。

フォロワーは何人増えた？　インプレッションはどれぐらい取れた？

そしてまた考えるというのを繰り返す。

これを毎日やってみてください。1年繰り返せば、めちゃくちゃ伸びるはずです。

番外編

ここでちょっと番外編です。

「X」でフォローしてもらう方法。2つあります。何だかわかりますか？

1つ目は、自分のリピーターになってもらう。
2つ目は、仲良くなる。

この2つしかありません。

先ほどのコミュニケーションの話は、2つ目にある「仲良くなる」ための手段ですよね。
では、自分のリピーターになってもらう手段とは何か？　これを少し掘り下げていきます。

シンプルに考えましょう。

「X」で流れてきたポストを読みます。フォローはしていません。

たまたま、アルゴリズムに乗って、タイムラインに流れてきたポストです。

何だかいいこと書いているな！　と思い興味を持つ。そして、アイコンをクリックしてプロフィールを見に行く。「X」のフォローボタンはプロフィールにしかありません。だから、フォローを増やしたい場合は、プロフィールアクセスの数を伸ばしていく必要があります。


プロフィールを見た。過去のポストも見た。固定ポストも見た。


うーん、これは何だか、自分にとって有益そうだな……。

自分にとって有益そうだと感じる要因は、人それぞれさまざまな種類があります。

どんなものがあるでしょう？

実質的にお金のことが学べる、生き方が学べる、美容のことが学べる。
そういった有益性もあります。

一方で、ただ単に「好きだわー」というのもあります。楽しくなるとか、笑えるとか、エンターテイメント性があるとか、心がおだやかになるとか、癒されるとかもあります。

どんなことでも良いので、「自分にとって有益なことを発信している人だな」と思ってもらう。そして、これからも見逃したくない。また、ポストを見たい。

こういう流れを作れれば、リピーターになってもらえます。そのためのポイントがあります。それは、

印象に残る。

読み手の印象に残す。ということですね。フォローをしてもらう。リピーターになってもらう。そのためには、ポストを読んでもらった時に、続いてプロフィールを見に行くというアクションを起こしてもらう必要があります。それでは、そのアクションを起こしてもらうには、どうしたらいいのか？　その答えが「印象に残す」ということです。具体的には、

権威性

共感

憧れ

メリット

このようなものを、いかに伝えていくのか？

私はたまに、自分が「X」を3年間続けたことによって、年収がこんなに増えた！　こんな生活ができるようになった！

と、実際の数字を使って、生々しい投稿をすることがあります。ここでは、権威性、共感、憧れを演出しています。そして、この人をフォローすれば自分も同じようになれるかもしれない。そういうメリットを感じてもらえます。すると、プロフィールアクセスが伸びます。

普段は500前後のものが、5000～1万と跳ね上がります。そして、フォロワー数も1日で数百人増えたりします。

11 第三部　アカウント設計

第三部のアカウント設計に進みましょう。だんだんと具体性が上がっていきます。

アカウント設計に悩んでいる方、けっこう多いですね。わたしのコミュニティでも最も多い相談の1つとなっています。わたしの場合、3年を超える運用の中でアカウント設計は完全に出来上がりました。メインは40代の生き方に関する発信です。最近では40代インフルエンサーと自分で名乗るようになってきました。発信する内容も、軸ができています。

- **素直で謙虚でポジティブ、そして突き抜けた努力**
- **見えないところで鬼努力**
- **朝活で人生は変わる**
- **継続して慣れることで、何でもできる**
- **最初はできないのが当たり前**

などなど。

今は、このような軸となる発信内容を、切り口を変えながら、手を変え、品を変え、さまざまな表現方法を使って伝えています。アカウント設計には、欠かせない3つのポイントがあります。

1 ファンメイキング

2 社会貢献

3 やりがい

この3つです。

1 ファンメイキング

これは今、他のインフルエンサーの方たち、キングコングの西野亮廣（にしのあきひろ）さんとかですね。いろんな方がファンメイキング、ファンは大事だよと熱心に伝えてくれています。時代背景からもファンメイキングが必要なのは明らかです。わたしがいまさらお伝えすることではありませんが、今、人口がどんどん減っていっています。が、こういうものを改めて見ると、うわあ……って思っちゃいますね。

わたしは１９７７年生まれです。この頃、日本の1年間の出生数が１８０万人ぐらいはいました。

そして、２０２２年は80万人を割り、77万人しかいません。なんと約60％減。半分以下です。わたしが中学校、高校に通っていた頃はクラスが10ありました。今では、半分しかなくなっちゃっているということですよね。

そして超成熟社会。質が良いのが、当たり前の時代になっている

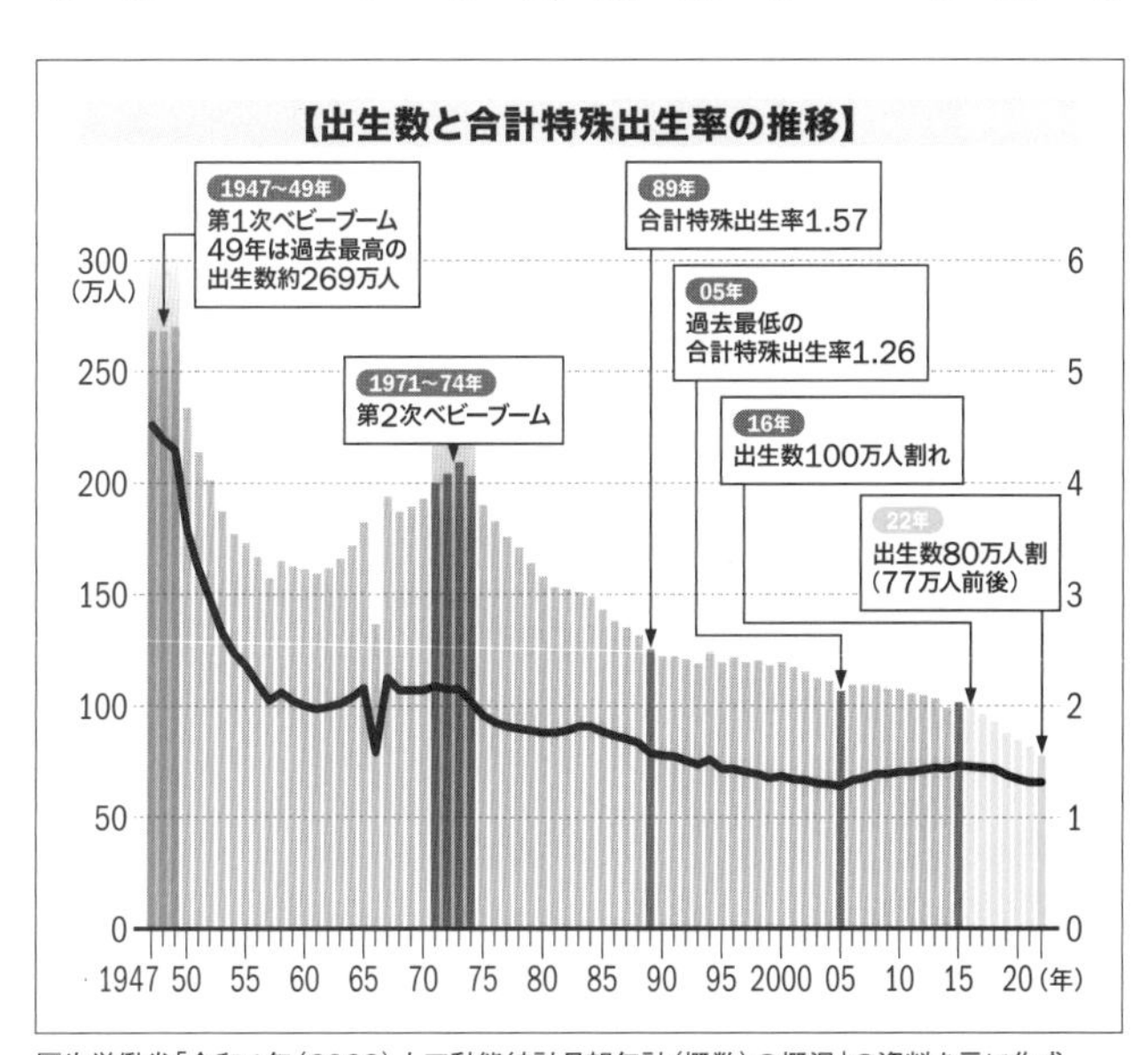

厚生労働省「令和4年（2022）人口動態統計月報年計（概数）の概況」の資料を元に作成

ということです。

価格が安い。そして質も高い。これが、もう当たり前です。

価格が安いだけでは勝負できない。質が高いだけでも勝負できない。

コストパフォーマンスを問われてしまいます。

よく、キングコング西野さんがこのようなお話をされています。今は95点ぐらい取っちゃうお店サービスが多い。どこも60点ぐらいだったら、努力して70点とか80点にすれば、差別化できる。でも95点に対抗して必死の努力をしても、せいぜい97点。95点と97点ではそんなに差は感じられない。95から97の2点を上げるのには、相当な労力がかかるのに、得られる恩恵はとても少ない。コスパが悪いと。

そういう超成熟社会になってきているということです。そして超情報過多の時代です。

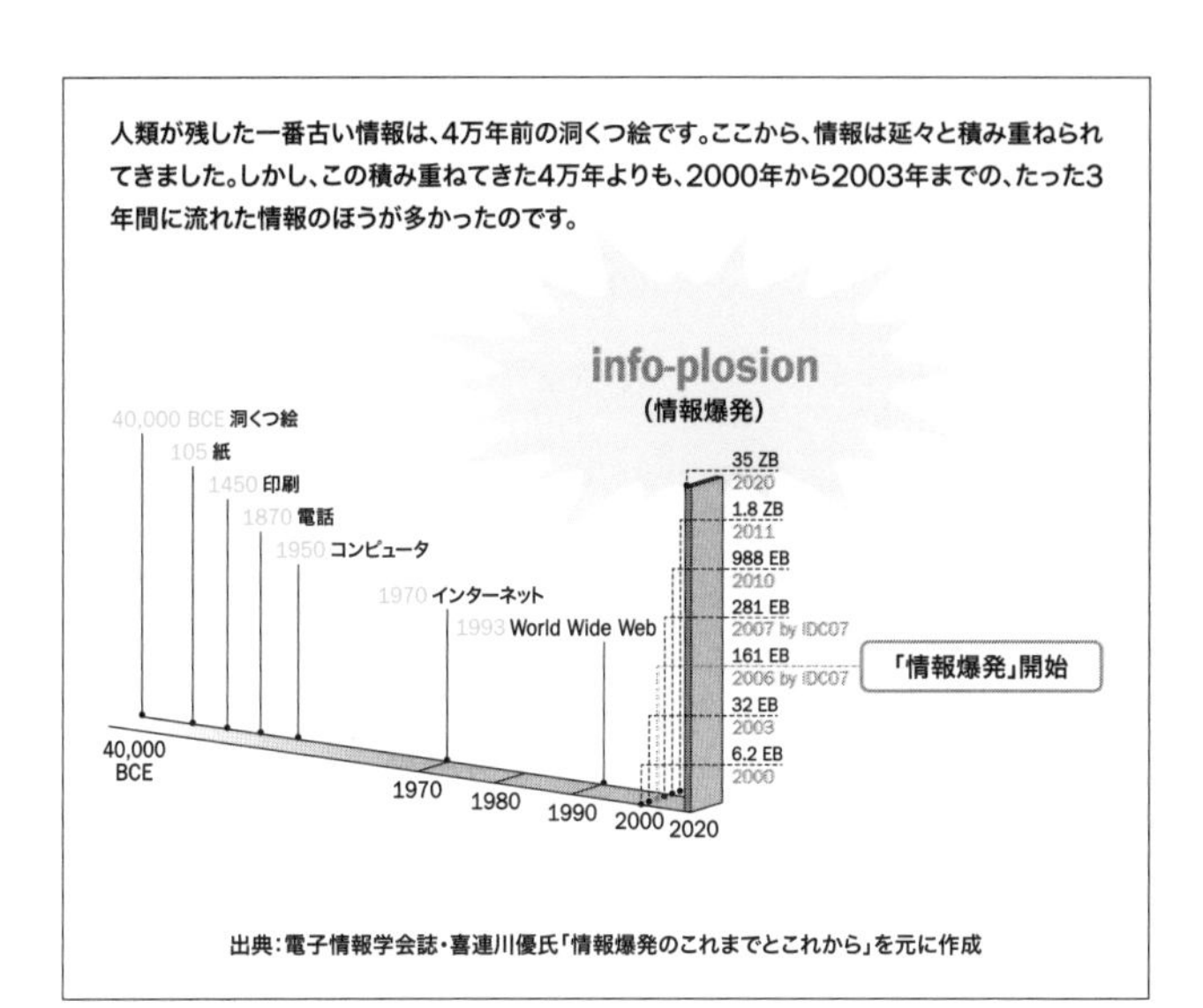

すごく印象的な資料があったので、引っ張ってきました（上図）。これ、面白いですよね。

人類が残した一番古い情報は4万年前の洞くつ絵だそうです。ここから4万年にわたって積み重ねてきた情報量よりも、2000年から03年までのたった3年間で流れた情報のほうが多かったという信じられない事実。一気に超絶急騰している情報量。今ではもっととんでもない量になっているはずです。こういう時代背景の中、ファンを増やす必要があります。

【「顧客」ではなくて「ファン」を増やす】

「対立」ではなくて「応援」

「機能」ではなくて「意味」

「比較」ではなくて「紹介」

顧客ではなくてファンを増やしていく。顧客とは、お客さんですね。事業主やお店とお客さんというのは対立関係です。なぜなら顧客はお金を使って、サービスを受けたり、商品を買ったりします。ここ最近高騰している電気代で想像するとわかりやすいかもしれません。

安いほうがいいですよね。なるべく安く買いたい。売る側からすると、安く売ることで売上や利益が少なくなってしまいますよね。

このように、対立する関係になっています。

ファンは違います。ファンは応援してくれるんですよ。対立じゃなくて応援してくれる。だから顧客じゃなくて、ファンを増やしていきたい。

顧客は機能やコストパフォーマンスを優先して買うものを選びます。ファンは意味を大切にしてくれます。意味を買ってくれる。意味に対してお金を払ってくれます。

顧客は比較をします。ファンは紹介をしてくれる。いわゆる推し活ですね。

顧客じゃなくてファンを増やしたほうがいいっていうのは、一目瞭然ですよね。ファンを増やしたほうがいい理由はご理解いただけたと思います。それでは、ファンはどうやって増やしたらいいのか？　ファンメイキングに必要な3つの要素。

『ファンベース——支持され、愛され、長く売れ続けるために』（ちくま新書）という佐藤尚之さんの名著があります。

そこで佐藤さんは、ファンメイキングに必要な3つの要素を次のように図式化（いれぶん流に少しアレンジしています）しています。

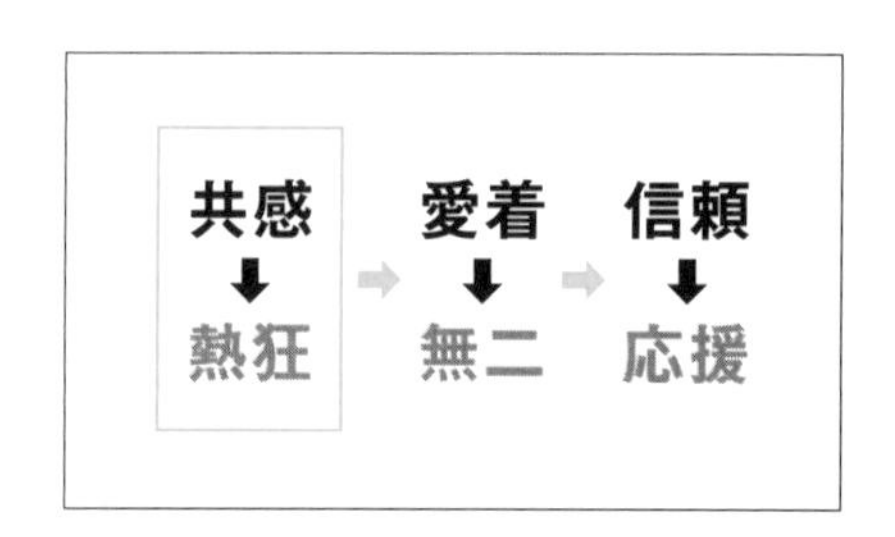

とてもわかりやすいですね。

共感と愛着と信頼です。

これに沿って、「X」のアカウント設計の話をしましょう。

共感をしてもらえるようなアカウント。そして愛着を持ってもらえるようなアカウント。

信頼を得られるようなアカウント。

この3つの要素の中で、一番起点となるのは共感。そのように、わたしは考えております。

共感です。

ファンメイキングをするためには、共感してもらう。共感は強くなると、熱狂に変わる。共感が熱狂に変わった時に、自然と愛着は無二、すなわち他にはないというものに変わります。

そして信頼は応援に変わります。

どうでしょうか？　しっくりきませんか？　これこそ、推し活の原理ではないかと思うのです。

推し活をしてもらえる対象になる。これこそが、ファンメイキングなんじゃないかなと思います。

それでは、共感を熱狂に変えるには、何をしたらいいでしょうか？　共感というのは、何となくイメージできるんじゃないかなと思います。ご自身の過去の体験を発信した時、それと同じような境遇にある方が、共感する。確かに！　そうそう！　という風に感じてもらう。

さらに、熱狂に変えていくためには、どうしたらいいのか？　何だか、少し難しそうです。

それでは、共感を熱狂に変えるためのポイントをいくつかお伝えします。まずこれです。

みんなで進める夢を語る。

一言で表現するのであれば、これですね。みんなで進める夢を語る。これを実現できるアカウント設計をして、日々、発信していくということです。

わたしで言えば、40代でちょっと人生に行き詰まっている人とか、毎日忙しすぎて時間の余裕がなくて、目の前のことに忙殺されていて、何かしないといけないと思っているけど、日々考える時間もないし、余裕もないし、行動もできない。どうしたらいいのだろうとモヤモヤしながら、時間だけがどんどん過ぎていく。

なかなかコツときっかけを掴めないという人。そういった人と一緒に進む。

時間、お金、心の３つの余裕を手に入れ、40代から手に入れる最高の生き方というものを実現してもらう。40代の人がみんな元気になる、そして、日本人が全員元気になる世界を、わたしは作りたいのです。これはわたし自身だけの夢じゃなくて、みんなで進める夢ですよね。こういったものを語れるようなアカウントを作れると、ファンが作れます。みんなで進める夢を語る。自分の夢がみんなの夢になるのですよ。そうすると、みんな応援したくなりますよね。だって、その人の夢を叶えることが、自分の夢を叶えることになるのですから。

自分も楽しい思いができる。自分を押し上げてくれる。そんな人を応援したくなるのは当然です。だからこそ「みんなで進める夢を語る」、これを自分のアカウント設計の中に盛り込むことができると、ファンメイキングにつながります。共感を熱狂に変えることができます。

ファンメイキングに必要な3つの要素。

知らない人のファンにはなれません。自分のストーリーを表に出す。なぜ、そういう夢を持つに至ったのか？　どういう背景があるのか？　どういう人生を歩んできたのか？

そして、コンセプトを明確に言語化する。具体的な言葉にして、発信する。

さらにキャラクター。自分はどんな人なのか？

相手のキャラクターがわからないと、ちょっと近寄りがたいですよね。共感、愛着、信頼の3つ、これを大きくす

【ファンメイキングに必要な3つの要素】

① ストーリー

② コンセプト

③ キャラクター

共感、愛着、信頼を大きくするのに必要

るのにはストーリー、コンセプト、キャラクターを明確に伝えていくことが、必ず必要になってきます。覚えておいてください。

知っているからこそ推せるのです。ストーリー、コンセプト、キャラクターが、はっきりとわかる人じゃないと推せません。さらにもう一言。

「その他大勢」になるな。

知らない人は「推せ」ない
「その他大勢」になるな

その他大勢では印象に残すことはできません。「X」のタイムラインにはその他大勢になっているアカウントがたくさんあります。（推し）の数はそんなに増やせません。

何百人も同時に推している人なんていません。複数人を推していたら、1人1人を応援する力が分散しちゃいますからね。応援したい人は、多くても5人、それぐらいでしょう。その他大勢になっちゃうような人は推せませんよね。
そんなに余裕はない。その他大勢になってはダメなのです。

2 社会貢献

アカウント設計2つ目のポイント、社会貢献について、解説します。社会貢献とは何なのだろう。要は、誰かの役に立つ。社会に貢献できる。社会を良くするのに役に立つということ。これのポイントとしては唯一無二、そして価値提供。この2つです。

なぜ唯一無二じゃないとダメなのか？　仮にとても役に立つサービスであったとしてもダメなのです。

既に世の中に存在しているものを、もう1回作っても、世の中の役には立ちません。

厳密に言うと、少しも役に立たないわけではないでしょう。しかし、唯一無二であるものを作らないと大きな価値を生み出すことはできません。

全く新しいものを生み出すなんて、ハードルが高すぎるのではないか？ そう思う方も多いでしょう。そこで役に立つのがストーリー、コンセプト、キャラクターです。これらの個性を立てて掛け合わせていくことによって、全く同じものにはならない。自分のチャームポイントを入れ込んでいくことによって、唯一無二のものを作っていく。価値提供していけるものを作っていく。こうすることによって、社会貢献ができるようになります。

社会貢献ができている＝需要がある。ということですからね。

この需要を生み出し、発信しているアカウントは伸ばせます。そのアカウントには価値があります。フォロワー数も伸びますし、インプレッションも獲得できるようになっていきます。そして3つの余裕の1つである、お金の余裕の獲得にもつながっていく。事業として成り立っていく。唯一無二と価値提供。これを掛け合わせていくのが大切なのですが、その作り方について具体的なことをお伝えします。

【社会貢献】
するためには…?
唯一無二
価値提供

使えるものは、このあたりですね。自分には価値提供できることなんて何もない。

唯一無二で価値提供できるような発信軸なんて、とても思いつかない。自分にはそんなものない。そう思っている人、たくさんいると思います。

3年前の私も、まさに全く同じことを思っていました。営業の仕事のみを23年間やってきて、特技も資格もない。誰かに誇れるような長けた知識は何もない。だから、インフルエンサーになんかなれない。そう、思っていました。

この本を読んでくださっている方の中にも、同じように感じている方、多いのではないでしょうか？

全く、そんなことはありません。ここに書いたようなことをしていけば、唯一無二と価値提供できるものは作れます。

【唯一無二×価値提供の作り方】

1. **実体験**
2. **立ち位置・切り口**
3. **ライティング**
4. **キュレーション**
   ※ネット上の情報を集めて、特定の切り口や視点でまとめた上で共有すること。
5. **好きなことの深掘り**

①まずは実体験。1次情報ですね。実体験というのは。自分にしかないもの。どんな人でも実体験はあります。成功体験、失敗体験、生きてきた中で、何も挑戦していない人、何も行動していない人などいません。自分でやってきたこと、既にやりきってきたことですから、そんな大したことではないと思い込みがち。しかし、過去の自分の失敗体験は、必ず、誰かの役に立ちます。

②次に、立ち位置と切り口ですね。この表現、ちょっとわかりづらいかもしれません。
要は自分にしかないものです。年代、性別、気質、性格、住んでいる地域、家族構成、人間関係など。人それぞれ立ち位置、切り口というのは全然違うわけです。

自分の立ち位置から発するものは、独自性を出せる大きな武器になります。海外に住んでいる方とか、めちゃくちゃ忙しい方とか、在宅勤務の方だったりとか、とてもひどい上司がいるとかも、そうですね。

③そして3つ目、これはかなり万能です。この本でも度々登場している、ライティングです。
書き方、伝え方だけでも十分に価値を高めることができます。高圧的な上からの口調だったり、逆にめちゃくちゃに丁寧だったりとか、いろんなパターンを使いながらキャラクターを作っていくことができます。アカウント設計においては、ライティングの書き口も大きな特徴になりますね。

❹4つ目はキュレーション。ネット上の情報を集めて、特定の切り口や視点でまとめた上で共有することです。おまとめサイトみたいなものですね。たとえばアミューズメントパークの美味しい食べ物をまとめました！　みたいなの。世の中には良いものがたくさん溢れています。お役立ち商品だったりとか、美味しいものだったりとか情報が無数にある。

皆さんはその一部しか知りません。良いものを知ることができたら、それだけでお得じゃないですか。まとめるのには時間がかかる。

だから、インターネットで調べて、それをまとめたコンテンツとして発信するだけでも価値があるわけです。これだけでは、みんなで目指せる夢にはならないかもしれません。

しかし、発信力を高める一つの要素としては、十分に使っていけます。

❺最後に、好きなことの深掘り。今は、そこまで深い知識や知見を持っているわけで

はない。

でも興味はあるし好き。それならば、今から調べていけばいいのです。

自分の好きなテーマはありますか？

たとえば不動産。わたしは、木造のアパートをこれからやっていきたいと考えていた時期に不動産、木造アパート、不動産投資に関する本を10冊ぐらい購入して全部読みました。10冊、そのテーマに関する本を真剣に読めば、さまざまな考え方や知見を得ることができます。それだけでも、木造アパートのことを少しは語れるようになるわけです。

興味のあることや好きなことであれば、多数の本を読んでも苦にならないわけですよね。インターネットで調べたり、本を読んだりして、どんどん深掘りしていけます。やる気があるからです。

それを半年も続けていけば、それなりにプロフェッショナルになれます。選択肢の幅、そして情報量も膨大にあります。暇な人はあまりいません。1人の人がいろんなジャンルに長けることができるまでには時間が足りません。だからこそ、自分の好きなことはとことん深掘りしていって、その道のプロフェッショナルになる。

そういうことが十分にできる時代になってきています。1年ぐらいかけて突き詰めてください。それだけでもアドバンテージは作れます。

なければ作ればいい。人生100年時代です。1年なんて誤差の範囲。このような方法を使っていけば、唯一無二、そして価値提供ができるアカウントを作り、社会貢献をしていくことができます。

3 やりがい

さて、いよいよアカウント設計における3つ目のポイントをお伝えします。

それは、やりがいです。これも忘れがちなので、強調してお伝えしたい。

あなたは社会貢献ができるようになった。しかし、そこにやりがいが存在しないと、いずれ継続することが困難になります。なぜなら、楽しくないから。

楽しくないから、ストレスを感じてしまいます。好きなことだったら続きますよね。子どもの頃、ゲームが楽しくて時間を忘れて、夢中になって遊んだことありませんか？

さらにマーケットボリュームがあれば、発信に対して反応があります。反応があれば、それがやりがいに変わっていきます。何事も継続できなければ、成し遂げることはできません。好きなことであり、更にマーケットボリュームがある程度あるものを選ぶ。これを忘れてはいけません。アカウント設計でこれを怠ってしまうと、続けていくうちに、なんか全然楽しくない、自分は何のために「X」をやっていたんだろう？と、ふと我に返っちゃったりとかするわけです。そして、支えてくれる仲間がいないと、辞めてしまったりする。

【やりがい】

❶ 好きなこと
❷ マーケットボリューム
↑
忘れがち

そういう方は忘れています。やりがいを忘れています。忘れちゃダメなのです。

やり遂げることは必須です。やり遂げないと、夢は叶いません。やり遂げられるアカウント設計のポイントは、やりがいと社会貢献の交わっている部分で設計を考えていくということです。

みんなで追える夢、みんなで叶えたいと思える夢として

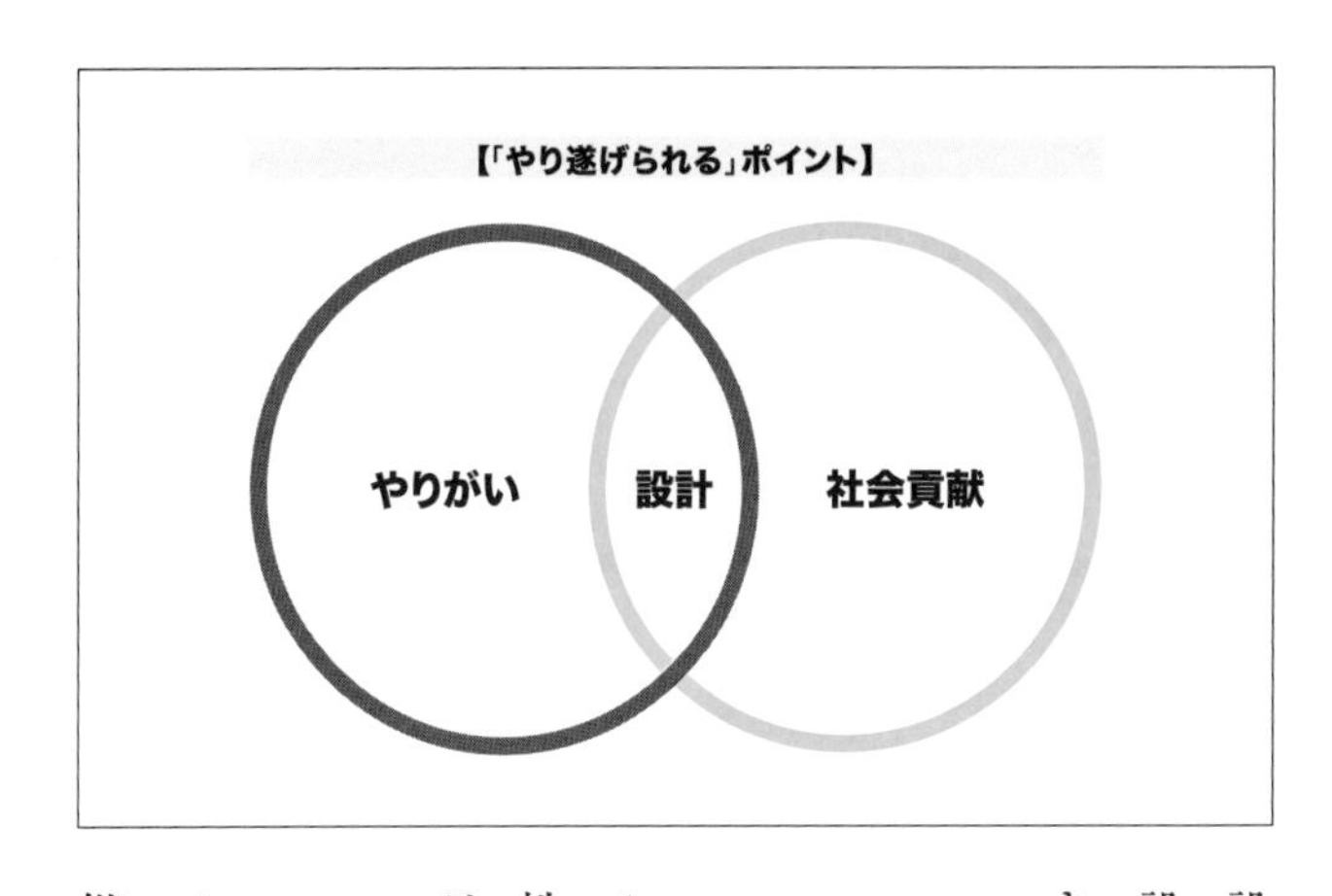

設定できたら……。それこそが最強のアカウント設計になります。そんなアカウント設計をしていきましょう。

第三部のまとめです。

アカウント設計に欠かせない3つのポイント、1つ目はファンメイキング。ファンづくりの重要性はわかりましたね？　そして、ファンメイキングの仕方も理解できたと思います。

そして社会貢献ができるもの。最後にやりがいです。やりがいを欠落させないこと。なぜなら、継続しないと何事も達成はできないからです。

111

第四部　ルーティン

真の「X」運用法、いよいよ第四部。絶対伸ばせるルーティンをご紹介します。

ここでは、もしも、わたしがもう一度「X」をゼロから始めるのであれば、今の知識、経験値を利用して、アカウントを新たに作り直して、フォロワー5万人を目指すなら。毎ポスト10万インプレッションを獲得できるようになるまで、これをやっていく！　そういうルーティンを言語化していきます。

この本を読んでくださっている方の中には、もう既にフォロワーさんが5万人ぐらいいるよという方もいらっしゃると思います。そんな方も、さらにこの先、フォロワー10万人、そして毎ポスト20万インプレッションを目指していく。この本を書いている23年7月時点で、わたしの「X」のフォロワー数は11万人。毎ポスト20万から50万インプレッションを獲得できています。このくらいの数字を目指していくためのルーティンをご紹介していきます。

100%こなすことができれば、必ず伸びる。そう考えられるものを言語化していきますので、参考にしていただけると思います。

【絶対伸ばせるルーティン】
1 ポスト
2 コミュニケーション
3 振り返り
1日2〜3時間（年間730〜1095時間）

ポスト、コミュニケーション、そして振り返り。この3つのルーティンです。

わたしの場合、1日2時間〜3時間を投じていきます。ポストしたり、コミュニケーションしたり、振り返りをしたり。1日2時間だと年間730時間、そして1日3時間取れれば、年間1095時間です。え、そんなに！ 仕事も家事もあるし、そんなにはできない！ という方もいらっしゃると思います。1日1時間しか取れない人は、2年間かけていけばOKです。1日30分とかだと、ちょっと足りないかなと思いますね。

定着するのに時間がかかりますし、コストパフォーマンスが悪くなります。隙間時間を工面して、最低でも1時間取れるような1日の時間の使い方をしていただきたいです。

それでは、ポスト、コミュニケーション、振り返りの順で、1つずつ解説していきますね。

1 ポスト

まずはポストです。

わたしのやり方は、1日1ポストです。このスタイルにして3年経ちましたが、今でもこのスタイルがベストだと考えています。理由は2つ。

1つ目は、情報過多の時代で1日に複数回ポストしていると受け取り側の負担になると考えているから。

2つ目は、渾身の1ポスト、毎日バズるつもりで1投稿入魂したいから。

ただし、

- **受け取り手の負担にならないように**
- **質を落とさないように**
- **コミュニケーションも十分に取れる**

これらの条件を満たせるのであれば、朝、昼、夜の1日3ポストでも良いと思います。

フォロワーさんに、より多くのコンテンツを提供して触れてもらうことでファン化を促進する。数を量産することで、大当たりする頻度を増やす。

このあたりを狙いたいのであれば、投稿数を増やしても良いでしょう。

わたしは1日1ポストで、1年でフォロワー数を7万人増やすことができました。

そして自分自身が朝しか「X」に時間を使えない。この場合は、朝の1ポストの方が引用が上手くいきます。「ポスト」のアクティブタイムは、朝だと6時～8時くらい、昼だと12時～13時、夜だと18時～21時くらい。わたしは朝をメインにするので、毎朝6時に投稿をします。

昼なら12時、夜なら18時に投稿するでしょう。毎朝、「X」の投稿をするのが楽しみで楽しみで仕方ない。なぜなら「これはバズる！」と思えるまで、投稿の内容を考え、練っていたからです。全てが自信作です。

どんな反応がもらえるか？　ドキドキワクワクします。時間がないし、ネタも思い浮かばないから今日はこれでいいや。そんな投稿をしょっちゅうするくらいであれば、投稿の回数を減らした方がましです。ただし、最低でも1日1ポストはしましょう。そうしないと、インプレッションが下がっていきます。

毎日、楽しみにしている。そういうファンを増やすためです。

【ポストのルーティン】

1. 頻度：1日1ポスト（AM6：00に予約投稿）
2. 基準：バズると思えるポスト
3. ネタ：日常生活、本、SNSから、普遍的なことが良い
4. 演出：自分の言葉や経験で語る
5. 在庫：1週間分のストックを作る
6. 流れ：週に1日、作る日を設定→朝5分でリライト

次に投稿するネタの作り方。これ、悩んでいらっしゃる方が多いのではないでしょうか。

わたしは基本的には日常生活の中で気づいたことを投稿のネタにします。そして、過去の失敗から気づいたこと。これは何回でも形を変えて使います。更にインプットをす

る時には合わせて投稿のネタを探しています。

具体的な手段は読書ですね。

本を読みながら、投稿に反映できるものは全てメモを取っていきます。最近では朝のランニングをしながら、音声メディアのVoicyを聴いてインプットしていますが、多数のヒントを得られます。あとは、SNSのタイムラインからのヒント、「X」でフォローしている気になるインフルエンサーの投稿で反応が良いものを参考にしたりします。

念のために書いておきますが、パクリではないですよ。成功事例からのインスピレーションです。ヒントにして、自分の投稿を作り上げます。パクリはダメですよ。自ら信用を欠損させる行為です。

投稿する内容は、普遍的なことが良いですね。たくさんの人、どんな人にでも役に立つもの、どんな人にでも受け入れやすいもの、そしていつまでも通用するもの。刺さる相手が多い方が、やりがいもありますしね。

演出も必要です。

自分の言葉や経験で語るということです。偉人の言葉とか本に書いてあったことでも、自分の言葉として語れば、自分のコンテンツです。嘘はつかない。これだけは絶対に守ってください。経験はあなただけの一次情報です。自分の言葉や経験で、演出をしていきます。

ポストはまとめて作りましょう。わたしなら一度に1週間分のストックを作ります。直前に投稿するポストを作るという方もいらっしゃいますが、長く継続することを前提にするのであれば、良い方法ではありません。時間の余裕がないと心の余裕を奪われます。やっつけ仕事になってクオリティを下げる要因です。投稿の在庫を持ちましょう。1週間分を推奨します。ストックを作る。そうすることによって、クオリティは上がります。

具体的な流れです。1週間に1日、ポストを作る日を設定します。わたしの場合ですと、毎週、土曜日もしくは日曜日に2時間を確保していました。2時間で1週間分、1日1ポストなので、計7個以上のポストを作ります。そして、毎朝、ストックから選択して予約投稿ですね。わたしの場合は朝6時投稿なので、5時半ぐらいまでに予約投稿します。

その際、5分ほどの時間をかけて最終チェックします。作ってから時間が経っていると客観的な目で見ることができますので、気づきがあればリライトします。例えば、毎週日曜日にポストストックを作るのであれば、月曜日~土曜日の6日間は何をするのでしょうか?

1週間分のストックを作れるだけのネタ集めですね。

6日間あれば、さまざまな出来事が起こります。考える時間もあります。インプットしている時間もあります。はっきり言いますが、7個分ぐらいの気づきは、絶対にあります。

大切なのは、それを逃さずに確保しておくということ。ぼーっとして過ごさず、常に「誰かの役に立つ」気づきを探すのです。スタンスとして週に1回のポストを作る日のために、残り6日間を過ごすということです。これを忘れなければ、ネタは出てきます。

投稿することが見つからない。そう悩んだことがある方は、是非実践してみてください。

基準は「これは絶対バズる！」です。そう思える投稿を必ず7個作る。そして順番に投稿していく。最初から結果は出ないかもしれません。しかし、これを続けていくことで精度が上がっていきます。

1週間を1つのルーティンとすると、1カ月で4回繰り返せるわけですよね。1年間で48回。48回、このルーティンを繰り返していけば、必ずクオリティが上がっていきます。毎ポスト、バズれるようになっていきます。そこまで続けるのです。

2 コミュニケーション

次に、コミュニケーションのルーティン。

わたしの3年間の運用でも、コミュニケーションはとても重要なポイントになります。早速ですが、具体的なルーティンを紹介します。

まず、ベンチマークを10人設定します。毎日、引用をする10人を探します。自分がした引用をリポストしてくれるインフルエンサーを10人探すのです。リポストをしてくれやすいインフルエンサーを探すのです。リポストは多数する人、あまりしない人に分かれます。わたしは前者です。リポストは、多数することでデメリットがあります。自分のタイムラインに他人の投稿が多数並んでしまうからです。

メリットもあります。コミュニケーションになるのです。自分の投稿をポジティブに引用してくれたポストを拡散することで、自分のアカウントのインプレッションが高まります。

さらに、引用してくれた人のインプレッションも高まります。感謝の意を伝えるコミュニケーションにもなります。

わたしはメリットの方を優先しており、自分のポストを肯定的に引用してくれた投稿は、ほぼ100%リポストするようにしています。最初は10人でスタート。徐々に減らしていっていいと思います。ベンチマークした10人に関しては、毎日、毎朝

【コミュニケーションのルーティン】

1. **ベンチマーク10人→いいね+引用+リポスト+リプ**
※引用をリポストしてくれるインフルエンサー、徐々に減らしていく
2. **フォローしている人の投稿→いいね+リポスト+リプ**
※FF比：30人：100人、100人：1000人、200人：1万人
3. **自分の投稿へのリプ→いいね+リプ返**
※アンチ除く
4. **自分の投稿への引用→いいね+リポスト**
※アンチ除く
5. **仲良くしたい人の投稿→いいね+リポスト+リプ**
※好きな人を口説くつもりで

ポイント：6時〜9時は即レス、それ以外もなるべく即レス

いいね＋引用＋リポスト＋リプライ

この4点セットを実地します。そうすることで関係性を深めていきます。相手に認知してもらえるまで、一生懸命やっていくわけですよね。インフルエンサーに認知してもらって、毎回リポストしてもらえるようになり、フォローをしてもらえたりすれば大きな力になります。

次に、自分がフォローしている人の投稿をチェックして

いいね＋リポスト＋リプライ

この3つですね。3点セット。フォローの話で重要なことを補足しますね。FF比（フォローとフォロワーの比率）の話。わたしは、FF比にこだわっています。その方が運用が上手くいくからです。

自分のフォロワーが100人になるまでは、30人ぐらいまでしかフォローしないほうがいい。

（フォロー30人、フォロワー100人　↓　3：10）

1000人になるまでは、100人以下に抑えてください。

（フォロー100人、フォロワー1000人　↓　1：10）

そして1万人になるまでは2000人以下に抑えてください。

（フォロー200人、フォロワー1万人　↓　1：50）

え、それだけしかフォローしないの？？？　冷たくないですか？　そんな風に思った方もいらっしゃると思います。わたしも鬼の心でやっていました。ここは割り切りが必要でしょう。理由はシンプル。権威性です。FF比で投稿の見られ方が変わるのです。

フォローしたい人　＝　自分が毎日チェックしたい人。
投稿の内容が良かった　↓　プロフィールを見に行く。
FF比が1：1だった。フォロー1000人、フォロワーも1000人。
ん？　そんなに人気がない人なのかな？　このような印象がついてしまいます。
これはけっこう大きな影響を与えています。

次は自分の投稿へのリプ（リプライのこと）。

ポイントは即レスです。即レスとは、即時レスポンス（返事）をすること。リプをもらったら、すぐにいいねとリプで返事をする。自分の投稿を引用してくれたら、すぐにいいねとリポストをする。わたしはこれを徹底してきました。

朝は、朝食とか、身支度したりとか、あとは通勤したりとか、小忙しいですよね。毎朝6時〜9時の3時間。いろんなことをしながら、5分とか10分に1回は「X」のアプリを開けて、すぐにいいねとリプ返とリポストをしてきました。いいねとリポストをするのに時間はかかりません。わたしの場合は、1日中、時間があれば「X」を開き、できる限り即レスで対応しています。

皆さんも経験はないでしょうか。自分がリプしたら、すぐにいいねをつけてもらえた。すぐに通知が来て、すぐにいいねが来て、すぐにリプ返が来た。

これ、めちゃくちゃ印象に残るのです。さらに続けて即レスがあると、この人はいつもすぐに返信がある。これはやっている人が少ないから、すごく効果的。

わたしは本業（サラリーマンとしての仕事）に慣れていたからこそ、できました。「X」の即レスをやることによって、本業がおろそかになるのであれば、まずは本業に集中してくださいね。ここは順番を間違えてはダメです。

朝6時〜9時というのもわたしの場合です。ご自身の活動時間に合わせてください。

「X」を始めてから2年くらいはリプへの返事は100％していました。だんだんと数は増えてきて、1時間以上かかったりしましたが続けました。それだけの時間をかけるだけの効果は十分にあります。

また、賛否両論ありますが、わたしの場合、引用してもらったポストは、全ていいねとリポストをしていました。リポストが多すぎると、それでタイムラインが埋まってしまうため、鬱陶しく思われ、フォローを解除される要因にもなります。諸刃の剣になる運用方法ですね。

でも、もう1回ゼロからやり直すとしても、わたしならまた同じことをします。本当にファンになってくれる人に支持されれば良いからです。自分自身がインフルエンサーの人から引用、リポストしてもらえた時に、とても嬉しかった。感謝の意を込めて、わたしも同じことを続けています。

コミュニケーションのルーティン、最後の5つ目を紹介します。

仲良くしたい人の投稿を見て、いいねとリポスト+リプをする。場合によっては引用もする。さらに、場合によってはＤＭも使う。

これらを駆使しながら、好きな人を口説くつもりでコミュニケーションを取っていきます。

ちょっと嫌らしい書き方をしましたが、こういうことなのです。

「どうすれば振り向いてもらえるのか？」を常に考えます。好きな人に振り向いてもらうためであれば、皆さんも一生懸命考えますよね。そういう経験があるのではないでしょうか。

今のパートナーの方と仲良くなるまでには、おそらくいろんな工夫を重ねたんじゃないかなと思うのです。それと同じようにやるだけです。これも毎日、実施していきましょう。

3 振り返り

最後にもう1つ、大切なルーティンをお伝えします。振り返りです。必須のルーティンです。毎朝行いましょう。

まず、前日の投稿（自分の投稿）の振り返り。インプレッション、いいね、リプの数、プロフィールアクセスの数。これだけでOKです。

そして1日1%の研鑽、改善を実施します。比べるのは過去の自分。特に同条件で1週間以内の投稿と比較します。何が良かったのか？　何が悪かったのか？　仮説を立てるのです。

その上で、改善するべきことをメモしておき、ポスト作成の時に反映させます。この反省・改善を続けます。

1年、2年と積み重なってくると、とてつもなく大きな力になります。わたしはこれを3年以上続けたことで、こういうポストをすると、これぐらいインプレッション獲得できて、これぐらいリプが入って、これぐらいプロフィールアクセスが取れるな！　というのが、大体わかるようにまでなりました。

次に1週間に1度の振り返り。1週間分まとめて、改めて数字の振り返り、その次の週の行動指針を決めていきます。そして、自分に足りていないものを明確にしていきます。
そうすることでインプットの必要性（本を読んだほうがいいな、専門的な情報を収集したほうがいいななど）を感じることで、モチベーションも上がり、効率の良い改善ができます。

そして2週間に1回、夢と目標の棚卸しを行います。数字を使って言語化した自分の夢や目標を棚卸しするのです。これによって、進んでいる方向、たどり着くべきゴールに迷いがなくなりモチベーションが回復します。推進力が戻ってくるのです。

更に、毎月1回、月初に行う振り返り。前月1ヶ月間の振り返りですね。そして、当月の月間目標を設定します。

振り返りはこれだけでやれば十分です。難しいことではありません。毎朝、毎週、

【振り返りのルーティン】

① 毎朝：前日の投稿のインプ、いいね、リプ、プロフィールアクセス
→1日1%の研鑽・改善

② 毎週：1週間の振り返り、次週の行動指針を決める。
→自分に足りていないインプットを習慣化。

③ 隔週：夢・目標の棚卸し。

④ 毎月：前月の振り返りと月間目標設定（インプ・フォロワー数）

隔週、毎月ですね。そんなに時間はかかりません。朝は5分で良いです。

その他の振り返りも30分あれば十分です。これらを続けることで、迷いがなくなり、推進力を保てるようになり、成長していくことができます。

以上がわたしの考える、実践してきた上で、皆さんにお勧めしたい「X」運用です。

是非、実践してみてください。

1万人に1人の逸材になる方法

環境で人生は変えられる
コミュニティには絶大な力がある

わたしの人生を大きく変えてくれた「X」。その魅力。そして、その運用方法がわかりました。よし、やってみよう！

そんな風にワクワクしているあなたに、残念なお話があります。

実は、ここまでわたしが書いたことだけでは、ほとんどの方が「変わらずに終わる」でしょう。

この本に書かれていたことを思い出してください。賢明なあなたは、メモを取っていることでしょう。付箋を貼ってくれた方もいらっしゃるかもしれません。

そのチェックされた箇所に書かれていることは、どれも特別なことではないはずです。

ノウハウはどこからでも入手できる時代。でも、成功している人はわずかしかいない。

そう、ノウハウだけではほとんどの人は変われないのです。

やりたいと思う人は１万人、やるのは１００人、続けるのは１人

この話をしましたね。継続できる人は1万人に1人しかいない。

「適切な目標」は設定できた。「正しい努力」も理解した。これだけではまだ足りません。

「継続する力」を得ることで、はじめて人は変わることができます。この章では、継続する力について、そして、1万人に1人の逸材になる方法をお伝えしていきます。

11 慣れることで人生は好転する

何をするにしても、最初からは上手くいきません。「できない」から始まるのです。

これは当たり前の話です。わたしは、中高生時代、いわゆるコミュ障でした。

人と話をするのが大の苦手。すぐに声が震え、小さな声しか出せませんでした。

そんなわたしが、大学生になりアルバイトを始めます。中華料理店での調理補助でした。

皿洗いとか、雑務とかならできるかな。そんな考えで始めたものの、すぐにホールに出て接客をさせられました。最初はドキドキしながら、たくさんの失敗をして、たくさん怒られながらも4年間続けました。その結果、お客さんとのコミュニケーションが得意になりました。

それでも、大勢の前で話すのは苦手のまま。

社会人となり就職先に選んだのは、店舗開発の仕事。イメージしていたのは、プランニングや商品の買い付けなどでした。ところが、配属になったのは営業部。20歳も30歳も年上の人たちへ事業内容の説明などをするようになりました。そして、大勢の人を対象に研修をするようになります。最初はガチガチに緊張してしまい、頭の中は上の空、何を喋っているのか自分でもわからないような状態でしたが、代わりにやってくれる人はいません。仕方なく、回数を重ねていく中で少しずつ上達。今では得意になり、自らのコミュニティで毎週オンライン講座を実施しています。

そうなのです。最初からできないのは当たり前なのです。

そして、続けていくうちに、慣れます。慣れると、少し上手くなります。心の余裕ができるからでしょうね。少し上手くなると、少し楽しくなります。さらに続けることができます。だんだん好きになってきます。好きになったら自然と続きます。そして、いつの間にか一流の域に達することができるのです。

立てる目標は人それぞれ。適切な目標があります。大きな目標を立てれば立てるほど、必要な努力は大きくなっていきます。正しい努力をすることでかかる負荷が大きくなります。

当然、継続するのが難しい。それを常人離れした「突き抜けた努力」で継続していく人のみが、高みに到達するのです。慣れれば何でもできるようになる。慣れることで人生は好転するのです。

11 環境で人生は変えられる

実は……継続することは、いとも簡単にできるようになります。

「あなたはもっとも多くの時間をともに過ごしている5人の平均である」

第2章でも説明していますが、これは、アメリカの起業家であるジム・ローン氏が提唱している言葉。そう、人は無意識のうちに周りの環境から強く影響を受けます。人間は集団で暮らす生き物。その習性から、周りからの影響を受けずにいることが難しいのです。やったことのないことに挑戦する時、やるか、やらないか。できるか、できないか。これらを判断する時に基準になるのは、周りがやっているかどうか？そうなっていませんか？　その努力をしんどいと思うか、そうでないか。

これは環境によって大きく変わります。

人は自分にマインドブロックをかけています。マインドブロックとは、あなたが「自分で自分に制限（リミッター）をかけている」状態のこと。人間は誰でも知らないうちに自分自身に制限をかけていて、それが原因で行動出来なくなってしまいます。これは環境によって、さまざまな要因によって知らないうちに作られてしまっているのです。このような経験、皆さんも一度はしているはずです。

小学生の頃、そこまで足が速かったわけではありませんが、陸上記録会という大会に参加することになり、放課後に足の速いメンバーと一緒に100m走の練習をしました。そして、大会本番では、その大会でもトップレベルに足の速かった選手と一緒に走りました。そこで、わたしは生涯最高のタイムを叩き出しました。数週間の間に、わたしの100m走のタイムはびっくりするくらい速くなり、さらにトップクラスの選手と走ったことにより明らかに上に引っ張られました。

中学2年生の時、たまたまテストの成績が良い人が集まったグループと仲良くなりました。

テストの前になると、勉強の仕方や取り組み方について、当たり前のように情報が共有されて、一緒に勉強したりしました。その1年間だけは明らかに定期テストの成績が良くなりました。

サラリーマン時代は、年収1000万円という世界を夢のように感じていました。

20年ほどかかって、その目標に到達した時、わたしは達成感を感じて、それ以上に上を目指すことをしなくなりました。あとは、これまでに貯めてきた経験値や知見を使って、ほどほどに生きていけば良い。そう思ってしまっていました。

でも、「X」を始めて、20代でも1億、2億と稼ぐ人たちと実際に関わるようになり、その視座の高さ、視野の広さ、行動量、継続力を目の当たりにして、自分の世界がいかに小さかったのか？　に愕然としました。彼らにとっては「継続する」なんて当たり前です。

「途中で諦める」なんて選択肢は持っていません。そんな環境に属することで、継続することは当たり前になります。継続するのが難しいかどうか？　これは環境によって決まります。つまり、継続している人ばかりがいる環境に身を置けば良いのです。

環境で人生は変えられるのです。

11 コミュニティの絶大なる力

生まれてから43年間、社会に出てから20年間。わたしはどちらかというと挑戦をしない人生を歩んできました。特に20代、30代の20年間。
ただただ、目の前にある膨大な量の仕事に忙殺されて、思考停止した状態で過ごしてきました。そんなわたしを、大きく変えてくれた環境。それはコミュニティです。

コミュニティには絶大な力があります。

それまでも、わたしはコミュニティに属していました。家族というコミュニティ。会社（仕事）というコミュニティ。主にこの2つのコミュニティの中で過ごし、わたしという人格が形成されていきました。そして、43歳にして新しく出会ったコミュニティ。わたしのサードプレイス。それは、「X」でした。そう、「X」がわたしを変えてくれたのです。

　そこには、未知の世界が広がっていました。今までの人生で出会ったことのないような人たちが、たくさんいたのです。


　朝4時から副業をしている人。とてつもない量の作業を毎日こなしている人。10代、20代で億単位を稼いでいる人。どん底から這い上がり、理想の生活を送っている人。毎日、有益なライフハック、ビジネスハックを発信している人。投資やお金に詳しい人。いずれも、それまでの人生にはわたしの周りに存在しなかった人たちです。さらに、「X」の世界には実名や顔を出さずに活躍している発信者が多数でした。どこに住んでいるのか？　どんな生活を送っているのか？　はっきりとはわかりません。実生活で関わりのある人はほとんどいません。完全なる、アナザーワールドです。

　しかし、その発信者の中身は人です。同じ人間です。それから、わたしは言い訳をしなくなりました。朝、起きる時間を30分ずつ早くしていきました。毎日、投稿するようになりました。やっている人がたくさんいるのだから、自分にもできるはず。考え方や基準が変わっていきます。そのうちに、家庭や仕事における苦悩やコンプレックス、失敗談などをさらけ出すようになりました。そうすると、仲間たちが声をかけてくれます。支え合う文化、癒し合う文化がそこには存在していました。

そう、しがらみが存在しないのです。実生活でつながっていないからこそ、全てをさらけ出すことができる。本当に救われました。さらに、自分の経験、失敗からの学び、気づきなどを発信することで、そこに価値を感じてもらえることがわかりました。

誰かの役に立つことができている。自己肯定感まで上がっていきました。

こうして、わたしの生き方は「X」というコミュニティにより、大きく変わって行ったのです。「X」というコミュニティ。あなたも是非、体験してみてください。

当事者になろう

最後に大切な話。わたしが作ったコミュニティ、「いれぶん塾」の話をさせてください。

「いれぶん塾」はわたしのミッションである、日本の40代を元気にする。そして、日本を元気にする。

これを叶えていくためのプラットフォームです。

この本が出版された２０２３年10月11日は開講2周年の記念日。７５０名以上が在籍する、月額５５００円のオンラインコミュニティです。コミュニティの価値は、体験してみないとわかりません。人生を変えるために必要なものが全て揃う場所。そのために、日々進化を続ける場所。人生を変えられる場所。

それが「いれぶん塾」なのです。

11 「いれぶん塾」を作った理由

「X」というコミュニティで人生を大きく変えたわたしでしたが、一方でジレンマを感じるようにもなっていきました。「X」は基本的に、テキスト（文字）でのコミュニケーションです。そこに頭の中にあるイメージや感情を解像度高く載せるのが難しい。また、発信力がついたことで投稿をたくさんの人に読まれるようになると、アンチと呼ばれる批判的なコメントを受けることも増えていきます。わたしが40代から大きく人生を変えたきっかけになった「X」の素晴らしさや、その運用方法について、たくさんの人に、わかりやすく伝えたい。満を持して、2021年5月、初の有料コンテンツを作り、リリースしました。

わたしが副業でマネタイズを達成した時、「X」を始めて1年と2ヶ月が経っていました。

わたしなりに、1年と2ヶ月で得た知見を全て投入して、とにかくわかりやすいものに仕上げました。結果的には、大きな反響を得ました。そこからテーマを変えながら5ヶ月連続で計8つの有料コンテンツをリリース。結果、とてもたくさんの方の手に渡りました。同時に「X」での投稿に対する反響もどんどん増大していきます。

21年9月には、バズを連発、1日あたりの平均インプレッションが100万を超えるようなアカウントに成長していきました。一方で、渾身のわかりやすさで作ったはずのコンテンツ。どうも伝わっている感触がない。これはどうしたものか……。

「X」というコミュニティにて志を同じくした仲間たちと、クローズドな場所で、より親密に双方でコミュニケーションの取れるオンラインコミュニティを作りたい。そうすることで、元気になって人生を変えられる人を増やすことができる。そのような思いを抑えることができなくなったわたしは、10月11日、オンラインコミュニティ「いれぶん塾」を開講します。

11 「いれぶん塾」の魅力

「いれぶん塾」のテーマは、「Xをきっかけに最高の生き方を手に入れる」

「いれぶん塾」のコンセプトは、「居るだけで元気になり、本気になり、継続できるサードプレイス」

何事においても、短時間で最大の結果を出すために必要な5つの要素、

①適切な目標
②正しい努力
③始める勇気
④継続する力
⑤加速する力

この全てを提供しています。コンテンツが揃っているのは、もはや当たり前です。
「X」をゼロから始めて、インフルエンサーになるまでに必要な情報は揃っています。

- **テキストコンテンツである「いれぶんのX虎の巻①〜⑤」**
- **20の動画で構成される「ロードマップコンテンツ」**
- **壁打ちや軌道修正のできる、回数無制限の質問・相談サービス**
- **ノウハウを使いこなすために必要なマインドを学べる、週6回(日曜日はおやすみ)毎朝1000〜1500文字のコラム**

などなど、3つ（時間、お金、心）の余裕を手に入れて、最高の生き方を実現するために必要なものを日々考え、提供し続けています。
そして、何よりも大きな価値として存在しているのは、「継続できる環境」です。

現在（23年7月）、わたしの考え方、やり方を好きになってくれた750名を超える仲間たちが在籍しています。とにかく、優しく、素直で謙虚でポジティブ、そして継続し続けている仲間たちです。もともとインフルエンサーになっていた方も、「いれぶん塾」でインフルエンサーになった方も、フォロワー1万人以上の方が70人以上在籍。総フォロワー数は、400万人超え。在籍する全員が、継続できている人、もしくは継続しようとしている人です。

つまり、「継続できる」が、デフォルト（標準）の環境が出来上がっているのです。

弱音を吐いている人がいれば、全力で支え、勇気づけてくれる仲間がたくさんいます。どうでしょうか？　こんな場所、他にありますか？

「いれぶん塾」は、一生居られるコミュニティを目指しています。月額5500円の有料ですので、その金額以上の価値を提供し続ける必要があります。時間に余裕があり、使い倒せる人であれば、十分価値を受け取ってもらうことができます。しかしながら、現在において時間が余っている人なんてほとんど存在しませんよね。「いれぶん塾」に在籍している人もしかり。時間、お金、心、3つの余裕を手に入れたい人が集まっているのですから。

時間がない方でも、十分な価値を受け取ってもらえる方法があります。それは、週6回のコラム、「今日のもーにん」の必読、そしてコメント返信によるフィードバックです。1回あたり、1000~1500文字程度。日本人の平均読書速度は、1分間に400~600文字程度と言われていますので、2分もあれば読めてしまいます。そして、3分ほどかけてコメント返信。これであれば、5分でインプットとアウトプットが完了します。毎日、150名程度の塾生さんがコメントをくれています。月曜日から土曜日は、このコラムから1日1%の成長を得る。日曜日は、その6日間を振り返ってアウトプットする。

毎日必ず1%の成長ができる。そんなコラムにできるよう、考えて書いています。何度も言いますが、1年続けていけば、1・01×365=37・8。とんでもなく大きな学びになります。どれだけ時間のない方でも、1日5分は捻出できるはず。1日5分でも価値を受け取ってもらえるコミュニティ。それが、「いれぶん塾」です。

また、「いれぶん塾」の運営を手伝ってもらうことで、それ以上の報酬を手にしている方、ナビゲーターとして活躍いただいている方も増えてきました。規模が大きくなるほど、コミュニティ内でのお仕事も増えていきます。最終的には、「いれぶん塾」の経済圏を作って、５５００円くらいの対価はすぐに回収できてしまうような仕組みを作り、一生居られるコミュニティ、一生居たいコミュニティにしていきますよ。

11 「いれぶん塾」で人生が変わった人

「いれぶん塾」に入ったことでフォロワー数1万人以上のインフルエンサーになった方は50名以上、ご自身のコンテンツを作り、販売して0→1を達成した方は多数。コミュニティオーナーになった方も10名以上いらっしゃいます。

こうした数字以上に、大きな価値や意味を手にした方もいらっしゃいます。

そんな方たちのエピソードをご本人の言葉でご紹介させてください。

11 もんきちさん

僕が「X」のアカウントを通じて成し遂げたいこと。「その人らしさを見つけて、その人が本当に求める幸せを掴んでもらいたい」

僕自身が「コンテンツビジネス」に本業でも複業でも一貫して大事だと思っている、関わる全員が「笑顔」でいられること。に通じています。目先の数値、売上などに囚われて、本来の目的を見失わないでほしい。幸せのカタチは人それぞれ。それを見つけるお手伝いがしたい。その一心だけでした。

●いれぶんさんの活動に対して僕ができることを全力でやる。

本の販促、運営のお手伝い、オフ会の幹事

●困っている塾生に僕ができることをやる。

心のオアシス（メンタルに自信のない方が集まるオプションのDMグループ）、プロダクトナビ（商品開発のサポートをするオプションサービス）、ナビゲーター（運営のお手伝い）など

本の販促では、会社の昼休みに職場を使ってスペースを実施したことが問題となり、減給処分を受けました。社内での見目も厳しいものになりました。これらの活動はなにか見返りが欲しくてやっていたわけではないにもかかわらず、「あいつはいれぶんさんに迎合している」「フォロワーも大して多くないのに調子に乗っている」「嫌い」そんな声も間接的に聴こえてくる

ようになりました。みんなには「何でも相談してください」「いつでも力になります」「自分らしくありましょう」そう言っていたのに、僕は自分らしさを見つけられずにいました。独り悩み、誰にも相談できずにいました。自分の軸はブレていない。僕のやりたいことはこれを続けた先に見つかる。そう信じていましたが、その心に限界が来る瞬間がありました。とある、「いれぶん塾」生同士のオフ会でのことです。

僕の何気ない発言が原因だったのでしょう。僕のことをよく思っていない方からの心無い暴言の嵐。間接的に聞いていた声を直接浴びた時。心が折れていく自分がいました。

「もう、いれぶん塾辞めようかな」「X辞めようかな」正直にそう思っていました。

そんな時、励ましてくれる仲間たちがいました。僕は一人じゃありませんでした。自分のことをしっかり見てくれている人がいるんだ。自分にも本音を言える仲間がいるんだ。

そう気づかせてもらえました。そこから、僕の心も行動も変わりました。やりたいことがどんどん鮮明になっていきました。励ましてくれた仲間の一人と一緒に、同じ夢を追いかける決断もできました。オーナーであるいれぶんさんとコミュニティのために、がむしゃらに僕がやれることをやり続けてきて、気づいたら、僕には欲しいものが手に入っていました。

コミュニティの魅力。同じ想いを持った

人が集まること。そこに共感が集まり掛け合わせの力が生まれること。これを体感できたことは僕にとってかけがえのない財産であり、これからもそうあり続けると確信しています。

11 たけしさん

自分の収入を増やしたい。それが自分がいれぶん塾に入る当初の理由だった。プレオープンから参加して、入って早々に自分の考えが安直過ぎたという現実を知る。

同じタイミングで参加したメンバーは、どんどん質問をしてどんどん成長している横で、自分は何をどうしたらよいのかもわからず、ただ彷徨っていた。

『場違いだったかな……』現実に打ちのめされて心が折れて挫折しそうになった時に、同期のメンバーがそんな自分に気付いてくれて『大丈夫ですか？』『一緒に頑張りましょう！！』と救いの手を差し伸べてくれた。その救いの手のおかげで、何とかギリギリのところで持ちこたえ、頑張ることができた。そのメンバーの救いの手が無ければ、恐らく早々に諦めて辞めていた。その後いれぶん塾で過ごす時間の中で、たくさんの素敵な仲間と出会い、色々な人の人生に接することができた。自分を知ってもらいたくて、オフ会には極力参加して、仲間のリアルな話も聴いた。オンラインでは感じることのできないメンバーとの交流が、自分の心を何度も救ってくれた。さまざまな困難を乗り越えながら、自身の人生を精一杯生きている仲間の姿を見て、自分自身も勇気づけられ、『自分が本当にやりたいこと』、人生を変える為に『挑戦すること』の大切さ、そしてそれがいつでも可能であることを知ることができた。

そしていれぶん塾に入っての最大のメリットは『自分の新たな面に気付けたこと』。何も無いと思っていた自分がいれぶん塾に入って仲間と交流していくことで、今まで気付かずに放置されていた『自分らしさ』に気付くこともできた。事あるごとにすぐに心が折れて、その度に距離を置くことが何度もあった。

それでもたくさんの仲間の優しくて熱い思いと励ましで、挫折しそうになったり、落ち込んだ気持ちが何度となく救われた。メンタルダウンと格闘中の自分が今まで頑張って続けることができたのも、塾生の仲間が温かく見守ってくれていたからであることは言うまでもない。今の自分にとって、コミュニティはこれからの人生を生きていく為の『絶対に失いたくない糧』となっていることは間違い無い。

はなさん

【自分年表】過去のエピソードとして書きます。

- 生まれて数ヶ月で父と母は離婚
- 母、祖父母、母の弟と5人暮らし

●2～3歳くらい？　の時、祖父が蒸発→りります。
私が中1の時に、遠く離れた地で亡くなります。
●小学校3年生、実はここで初めて父と母は離婚だと知ることに。
(父親が不在なのは海外に行っているから会えないんだと祖母から教え込まれていました。)
●同時期の小3の頃、母が突然家を出る。祖母、叔父(母の弟)と3人で暮らす。後に、母は男性と暮らしていることがわかりました。なぜ突然家を出たのか。なにかを察した私は、祖母に聞くことは一生ありませんでした。
●ある日、たまたま一人でアルバムを見ていました。母子手帳と共に、生まれて数ヶ月の私を抱っこしている父親の写真を見つけます。この時に初めて父親の名前と顔を知ることとなるのです。写真はこのたった1枚だけ。いけない物を見たような気がして、直ぐにアルバムを閉じました。驚き、ショックを受けた記憶……。
●小学校5年生。一緒に住んでいた叔父からのモラハラが酷くなる。
言葉の暴力、時には物を投げつけるなど……。祖母には言えず、耐え続ける生活。モラハラは私が幼少期からありました。この頃、私は叔父を殺したいという感情に。小学校5年生です。どうやって殺そうか、毎日のように考えていたことを鮮明に覚えています。恐らく自己防衛本能でしょう。(この話しは誰にも言えませんでした。しかし、先日もんきちさんとめぐさんに初めてほんの少しお話ししました。）

このような状況下でも裕福でした。

家には楽器やたくさんのレコードがあり、音楽に触れることも多かったのです。

祖母が私をずっと育ててくれたのですが、日本舞踊をはじめ、多くの習い事やスポーツをやらせてくれたお陰で、寂しさを感じにくかったと思います。

ただ私は、子どもながらに感情を抑え、大人の顔色をうかがうように育ちました。

モラハラを受けていたせいで、誰にでもいい顔をし、思ったことを口にしないよう成長していきました。言ってはいけないこと、聞いてはいけないことがあるのだと感じ取るようになりました。中学、高校時代は友人も多く、明るく育ちました。

母とはたまに連絡を取っていましたが、子育てを放棄し、私を突然捨てた母には憎しみしかありませんでした。時にはつらく当たることも。母と叔父への憎しみを抱えながら学校では明るく振る舞う……。アンバランスな心は、歪んだ私を作り上げていきました。叔父からのモラハラは続いていましたが、彼が確か28歳の頃、結婚を機に家を出て、ようやく解放されたのです。

- 大学受験には失敗。それでも化粧品メーカーになんとか就職
- 20代前半、突然母が再婚

●祖母の癌が見つかる。これを機に、母と再婚相手の父、祖母と4人で暮らし始める。いきなり出来た父親との会話はもちろんありません。嫌悪感。最悪な日々……。数年で母は離婚しました。

●25歳、母親代わりに育ててくれた大切な祖母が他界

●28歳、仕事の重圧からうつ病の症状が現れるように

●30歳、当時お付き合いしていた方と結婚。

義理の父はとある銀行の支店長、義母は一度も働いたことのないお嬢様育ち。

私の子ども時代から20代の家庭はめちゃくちゃでしたが、裕福な家庭に嫁ぎました。しかし、義母の夫への過干渉、真面目に働かない夫への苛立ち、私自身の仕事の重圧は、どんどんと心を蝕んでいきます。

当時の私は忙しく、休日も仕事、帰宅は夜中という生活。そこからうつ病は悪化。ついに化粧品メーカーを辞めます。それでも心を無視し、働くことを続けようと、某総合病院の臨床試験・治験管理事務として勤務します。（製薬会社様との折衝、法律が関わる事務）

同時期に、ずっとやりたかったサーフィンを開始。

相変わらずの義父母と夫との生活に、どんどんとストレスを抱えていたので、仕事と趣味に没頭するように。家庭を顧みなかった私も悪かったと思います。

義父の難病発症。筋萎縮性側索硬化症

（ALS）。義母、夫と共に看病。発症後、数年で他界。そして、実母の大腸癌宣告。転職しても相変わらずの忙しさ。毎日夜中までの残業、夫はまともに仕事もせず実家に入り浸り。私は、母の看病と仕事に追われる日々。心は限界を迎え、36歳頃に離婚します。購入したマンションを逃げるように出て行きました。

サーフィンだけが唯一の心の支え。この頃から死にたい気持ちが芽生えます。

母の状態が悪化してからは休職し、緩和病棟に入院している母へ付きっきりの看病。睡眠も食事も、ほとんどとっていませんでした。命の宣告は2週間。しかし、3週間彼女は生きました。私はほぼ母に捨てられた状態で生きてきましたが、やはり私にはたった一人の母。幼い頃から寂しかったのです。愛情が欲しかったんだと。このつきっきりの3週間は、最初で最後の、母と娘のかけがえのない時間となりました。私にとっては親子の時間を取り戻した日々。会話も出来なくなり、毎日麻薬で眠ることしか出来なくなった母に、私は毎日「産んでくれてありがとう。酷い言葉を言ってごめんね。」と言い続けました。そして母は亡くなり、一人っ子の私は30代で喪主を務めます。全てが終わって心の糸がプツンと切れたのか。

ここから私のうつ病はどんどん悪化。仕事も行けなくなり、一人家で首を吊ろうと何度も何度も試みますが出来ず。心身が限界。心療内科を受診し即、精神病棟に入院となります。

自殺の恐れがあるため、閉鎖病棟に。すぐに裸にされ、危険物がないかチェック。簡易トイレだけが置いてある個室。首つり防止のため、カーテンもありません。ベッドに手足と体を拘束され、出入り口は施錠。入院生活が始まります。入院期間はもう記憶が薄れています。3ヶ月以上だったかと。状態は良くなることはなく、この後も全部で恐らく3度の入院。仕事も辞めました。モラハラを受けていた叔父とも連絡を絶ちました。

今も絶縁状態です。一生会うことはないと思います。

40代前半？（もう記憶も曖昧です。忘れたいのと、うつ病が酷すぎて記憶が飛んでいることがあります。）ついに自殺を決意。誰にも言わず、衝動的でした。いつ死んでもいいように、睡眠薬を大量に溜め込んでいました。そして、睡眠薬を飲む用のワインも用意してありました。夜中前でしょうか。大好きな海へ行きます。泣き叫びながら睡眠薬を貪るように、ワインと共に飲みました。「このまま海に沈めば溺れて死ねる。魚にでも食べられれば私は消えて無くなる。やっと解放される。やっと死ねる……」

そう思いました。そして、目が覚めたら集中治療室……。

今でも、何時頃に、誰に、どう助けられたのかも知りません。

ただ、運ばれる時に「何で助けた

の！！！！！」と、叫んでいたことだけを聞きました。

入院中、看護師や医師はとても冷たかったのです。自殺未遂だからでしょうか。浜辺で未遂をしましたので、入院中も砂がベッドにバラバラと……。

退院し、一人自宅に戻り。涙も出ないほど憔悴していました。

しばらくして診療内科を受診。医師からは、障害者2級の申請をするよう言われます。

そして、生活保護を受けました。

時間は掛かりましたが、徐々にうつ病も回復期へと向かいました。

リハビリとしてサーフィンも出来るように。

この期間中、私は自分の人生や、自分の思考と向き合うことがようやく出来るようになります。そこで1曲の歌と出会います。SUPER BEAVERの〝ありがとう〟です。

私は生きていていいんだと。生まれてきたことには意味があるんだと。

どれだけ聴いて、どれだけ涙を流したかわかりません。

ここから働けるようにもなりました。そして、幼少期から大好きだった音楽をまた聴けるまでに回復しました。ライブへ行けるようにもなりました。Hi-STANDARDからも、多くの勇気をもらいました。同じ趣味の友達も増え、本来の私を取り戻していきました。そして、とあるフェスで今の夫と巡り会います。夫といっても実は事実婚です。うつ病は完全に私から消えました。47歳、突然の脳梗塞を発症。

もう少し遅かったら、寝たきりか亡くなっていたでしょうと言われました。

入院中、リハビリや酸素治療を続け、なんとか回復。

48歳、二度目の脳梗塞。再発です。ここでもまた、入院治療を行います。右手の握力が小学校3年生ほどにまで落ちました。右半分の顔も、昔に比べたらほんの少し歪みが残っています。50歳、「X」でいれぶんさんと出会います。

【私がいれぶん塾に入って変わったこと】

一つは、自身の経験を「X」で発信することにより、鮮明に心と向き合えるようになりました。私は1度、自殺未遂をして死にかけました。いや、2回脳梗塞を経験しているので、もしかしたら2度かもしれません。運が良かったのか、脳梗塞では多少の麻痺が残りましたが、自殺未遂では障害も残らずに済みました。そして、生まれてからこれまでのどん底だった全ての経験……。これらの経験は、酷くつらいもの。忘れたくても忘れることは出来ません。

「いれぶん塾」に入るまでは、全ての気持ちにフタをしていました。

それが、発信をすることによって変わったのです。

二つめは、高め合える仲間と出会えたこ

と。「いれぶん塾」は、とにかくポジティブで温かい！　苦しい経験をした私のような人間にも寄り添い、分け隔てなく接し、常に励ましの言葉をくれるのです。「いれぶん塾」に入っていなかったら、私はいまだにうつ病だったことや、過去の経験を隠し通していたと思います。

こんな経験を、こんなにスッと受け入れてくれる社会は無いと思っています。

しかも応援してくれる。存在を認めてくれる。

年齢なんて関係ない。いつからだって遅くない。人生をみんなで楽しもうと言ってくれる。

普通に働いて生活していたら、こんな環境や仲間には絶対に絶対に巡り会えない。過去の苦しい経験を払拭してくれる、とんでもないポジティブパワーを持ったコミュニティだと体感しています。

いれぶんさんと出会い、「いれぶん塾」に入ったお陰で、【私は、私という人生で良かった】と思えるように、更になりました。自分と、より深く向き合えるようになりました。

もっと自由に、人生を楽しんでいいんだと思えるようになりました。これまでのつらい経験も病気も、仲間のお陰でポジティブに上書きされて行くのがわかりました。

いれぶんさんといれぶん塾は私に、【諦めないで生きることの素晴らしさ】【人間の芯の強さ】を教えてくれたのです。

11 かのかのさん

2020年8月。

ひと月ほど前に頼りにしていた同僚が亡くなってから職場が色を失って見えて仕事をやめた。なんとなく外に出たくなくて、株の短期売買をして見事に失敗。それならば……とブログを書き始めて、その導線を作りたいと「X」始めたのが21年12月。ここが、今の私の始まり。基本、怠け者の私は、あんまり努力せずにすぐに結果が欲しかったので、当時ちょっとはやり？だった仮想通貨ブログを作った。もちろん、そんな心づもりで取り組んでいてもうまくいくはずはなくまったくの鳴かず飛ばず。ふらふらと「X」を眺めているときに、いれぶんさんを見つけた。「40代は楽しい」「40代からでも遅くない」

なんだか肩の力のぬけたそのポストは、でも、確かに楽しそうだった。

プロフィールを見に行くと、どうやらブログもやっているらしい。そのままブログにとんで、貪るように全ての記事を読んだ。……こんなふうになりたいなぁ。そう思った。

ゆるっとしてるけれど、きっとその実相当な努力をしてるはず。

彼のうちだす「3つの余裕：時間の余裕・お金の余裕・心の余裕」。これは言うまでもなく私も欲しい。そして、どうやら「いれぶん塾」とやらでは「X」運用を教えてくれるらしい。すぐに入塾の手続きをした。

……と、ここまではけっこう前のめりで進んだのだけれど、ここからが私の悪い癖。

昔から、参考書の類は買って安心して読まないタイプ。以前に買った30万円ほどの情報商材も少しコンテンツを眺めただけで、大して動かなかった。で、今回。

入塾してすぐ促されるままに塾で自己紹介して、ほかのチャンネルを眺めてみる。

……なかなかみんな積極的に活動してるんだな。

ひとつの質問に塾長のいれぶんさんだけでなく多くの塾生がコメントを入れてる。以前からいる塾生さんたちはそれぞれ仲良さそうだ。楽しそうだな。でもな。……これ、入っていけないかも。ちょっと場違いなとこに来ちゃったかも。尻込みしてしまった。

そうなると、ぜんぜん行動できない。既存のコンテンツを見て、ほかの塾生のやり取りをみて、「こうはなれないな……」とためいきばかりついていた。入塾して1か月ほどして、きっとこれまでと同じで何も行動できないままで終わりそうだから、辞めようかな。そんな気持ちも持ち始めたころ、いれぶんさんの誕生日があった。誕生日をみんなでお祝いしたのは別に珍しくもなんともないのだが、その前日。「いれぶんさん誕生日前夜祭（ちゃんとした名前は失念しました）」と称して塾生有志がスペースを開いていた。ほぼほぼいれぶんさんはいないのに、かわるがわる登壇してはいれぶんさんへの感謝の言葉やいれぶん塾愛を語る。なんてあたたかなコミュニティだと思った。

そして、やっぱりこれだけたくさんの人に愛されるいれぶんさんという人に付いていこうと思った。そうして、「いれぶん塾」を辞めることは思いとどまったものの、その後も約半年にわたって塾の中では見る専。仮想通貨は向いてないと早々に諦めたものの、その後何について発信しようか全然定まらず。ツイートもその日の徒然をちょこっと上げたりするくらいで、発信軸もへったくれもなかった。そんなふうにもんもんとしながら過ごしていた2022年6月、塾にひとつの書き込みがあった。「本当は変わりたいけど、ここの皆さんのハイレベルさにうまくついていけていない、でも諦めたくない。」なんだ、同じような人がいるじゃんと思った。このコメントにはたくさんの同意する仲間の声が上がり、そして、そういった仲間を救いたいというれぶんさんはじめ多くの先輩方の素早い行動で、ほんの数日で「心のオアシス」ができた。「心のオアシス」は「X」やいれぶん塾も頑張りたいと思ってるけど、上手く時間のやりくりができなかったり、やり遂げるまでに心が折れそうになったりして継続するのが難しいなぁと感じてる人たちが、お互い励ましあい、切磋琢磨して、少しずつ成長していく場所。この場所の存在が私を変えてくれる初めの一歩だった。だれにも相談できずに抱えていた思いがみんなあふれだした。超長文の悩み・思いがPCの画面上に流れる。明確な答えなんかない。でも、それでよかった。

自分の思いをきちんと文字にして表に出すこと。それを「そうだったんだね」って受け容れてもらうこと。たったこれだけなのに、毎日ここのDMグループを開くのが楽しみになった。いつしか各々の悩みだけじゃなくて、日々の雑談も増え、その人となりが見えてくると、「X」でも応援したくなる。ポストしてないと、「今日はどうしたかな?」と心配になる。オアシスの仲間たちとの交流をとおして、「X」での交流に少し自信がつくと、オアシス以外の人へもかかわっていけるようになっていった。

自分の発信の方向性が固まってきたのもこの頃。

オアシスで思いを打ち明けるうちに、自分がなぜ発信軸を悩んでいるかも思い当たってきた。いや、ほんとは気づいていたのに触れないようにしていただけだ。

今でこそ「理学療法士歴30年」として健康情報を発信しているけれど、初めはそれが怖かった。というのも理学療法士(略してPTという)として年数は経つけれど、そのほとんどが高齢者施設での勤務で病院での経験は飽きれるほど少ない。自分の中では「なんちゃってPT」だと思っていたから、そんな自分がPTを前面に出して発信なんぞしていいものか…という思いがあったのだ。でも、オアシスで自分の思いを綴っているうちに、その迷いも消えていった。

曲がりなりにもこれだけ長い期間続けてこれたことは、誇りに思っていいんじゃないか。

そう思えるようになった。そうすると、発信する内容もあまりぶれなくなってきて、すこしずつフォロワーさんも増えてきた。絹ごし豆腐みたいだった自信も木綿豆腐くらいにはなってきた。毎日のポストをひねり出すのは大変だけど、仲間とのやり取りが楽しくなりだしたころ、ひとつのお誘いを受けた。「50代の仲間が集まってスペースするけど、一緒にどう?」オアシスに入る前だったら、きっと断っていた誘い。二つ返事で受けた。これが私が「X」も「いれぶん塾」も楽しく活用できるようになってきた二歩目。たぶん準備運動がすんできたころ。なにせ、このスペースを機に一緒に話した仲間との距離が一気に縮んだ。

zoomで打ち合わせをし、スペースで話をすることで、生身の人間をそこに感じられた。

で、直後のいれぶん塾のオフ会に参加して実際にお会いしてより親近感が増した。テキストで書かれたポストが体温をもって感じられるようになる。

そんな気がした。そんなふうに仲間とのやり取りは楽しくなってきたけれど、自分のポストは毎日何を書こうかいつも悩んでいた。発信の方向性は固まったものの、独りよがりになっていないか、どうすれば届くのか。試行錯誤の仕方もわからなかった。

そんな時、あるひとのポストに「なかなかうまくいかないんですよね……」といったようなことをリプライし、なんどかやり取りしているうちに「覚悟はおありですか?」と返ってきて我に返った。

「覚悟」

そんな重い言葉、そうそう使ったことはない。

でも、たしかに人生変えようと思って取り組むんだったら、それ相応の覚悟はいるんじゃないか。「いれぶん塾」に入って10か月が経とうとするころ、やっとそれが腑に落ちた。ここがきっと私が歩き出した三歩目。止まらずに歩き始めたところだと思っている。

そこからは、ちょっとしんどいなと思っても毎日1ポストはするとか、簡単にでも毎日のポストを振り返るとか、運用っぽいことができてきていると思う。

そうして毎日続けていく中で、たくさんの仲間とのやり取りが私に自信や楽しみを与えてくれたし、自分が悩んだときに助けを求められる場所もいつの間にか増えてきた。

「いれぶん塾」に入って1年、オアシスに入って半年余り。

決して自分一人で歩けてるわけではないけれど、やるかどうかを決めて歩くのは自分。そして、人生も恐らく半分を過ぎてるんだし、人生楽しんだもん勝ち。そんな気持ちが育っていた。後押ししてくれるのは、やっぱり尊敬するいれぶんさんが言った「やるかやらないか迷ったらやる」という力強い言葉。

そして、それを実践できる気がして、私のベース基地だった「心のオアシス」を卒業した。

2023年、ほんとに人生が変わり始めている。

まずは、仲間数人と一緒にnoteで有料コンテンツを書いたのち、自分でもオリジナルの有料noteを書いてみた。「X」を通してできたマネタイズの第一歩。そして、思ってもみないお誘いを受けた。なんと新しく立ち上げるコミュニティの運営を一緒にしないかという。

コミュニティに参加はしているものの、自分が運営側に回ることなど思いもしていなかったし、運営がどんなことかもよくわからなかったけれど、必要としてくれているのならばやってみようと思った。…怖いもの知らずにもほどがある。

でも、結果は大正解。無料のコミュニティではあるけれど、同じ志を持つ仲間が140名あまり集まった。めっちゃ楽しい。

次々に繰り出される若いメンバーのアイデアについていくのに必死だったり、知らないことがたくさんで勉強することばっかりだったり、運営といってもただのお手伝いに過ぎない部分も多かったりするけれど、それでも自分で決めて動いていることの楽しさ、充実感、達成感はこれまでの比ではない。

そして、目に見えて増えていく人の輪。ほんの1年。

たった1年前は「X」でやり取りしていたのもほんの数名。

それが、いまでは数えきれないくらいの方とのやり取りがある。しかもリアルで出会った仲間も増えた。ありがたいことに、「かのかのさんに会いたかった」と言ってくださる方もいた。これらの出会いがなんとも尊い。

ポストのやり取りで人となりがわかっているから、初めてなのにはじめましての感じがない。ぎゅっと凝縮した時間が過ぎて、次に会うのがまた待ち遠しくなる。そんな仲間たちだ。

このところは「行動力がすごいね」と言っていただけることも増えた。

会いたいと思った人に会う、行きたいと思ったところに行く。

物理的に難しいことも多いけれど、できるだけそうしたいと思っている。

明日どうなるかなんてわからない。

「やっぱりやっておけばよかった」そんな後悔はしたくない。

どうしようか悩んで手をこまねいている暇なんてないのだ。

いれぶんさんは「40代が楽しい」といったけれど、いやいや。50代だって捨てたものじゃない。50代の挑戦も楽しすぎる！そんな毎日を送っている。

　あのとき、「いれぶん塾」に入ろうと決めた自分をほめてあげたい。

11 いなほんさん

　わたしは「いれぶん塾」に入ってから、性格・価値観・考え方などが大きく変わりました。
　わたしは、「自分が正しい」という性格でした。

- 周りに嫉妬しても自分では何も行動を起こさない。
- 指摘されたことを素直に認めず、言い訳してばかり。
- 感謝の気持ちを伝えることは、ほとんどない。
- 負けん気が強い割には、相手に嫌われることをとても恐れる。
- 正論をぶちまけ、相手を言い負かすことにエネルギーを使い、優越感を得て疲れ果てる。

　難聴なのに、良く聞き取ろうともせず、自分の意見ばっかり言っている。
　そんな人間でした。
　子どもたちにも「あ～しなさい」「こうしなさい」と先回りして、指示ばかりしていたと思います。習い事の練習をしなければ、「練習しないならやめなさい。誰がお金出してると思っているの？」と子どもの気持ちなんて考えもせず、自分の気持ちをぶつけてばかりでした。ある日、マネタイズ目的で入った「いれぶん塾」。

マネタイズを行うに当たり、自分の視座転換（性格改善）をしていくことが必要と思えてきて、コミュニティで常々いれぶんさんがおっしゃっている「いつも機嫌よく」がとても心に響いて、いつも機嫌よくいられるにはどうしたらいいか、考えるようになりました。

そして、日々、コミュニティから多くのことを学んでいます。自分が機嫌よくいられるには、相手にどう発言したらよいのか？　どう行動したらよいのか？　相手の行動は相手が決めるので、自分がどうこうと思いをめぐらす必要はない。嫉妬や相手を言い負かすエネルギーを機嫌よくいられる方向へ向かう行動へ使う。

謙虚と感謝の気持ちをいつも忘れずに。など、自分の中に取り込めるようになったのは、コミュニティのみなさんのポストを読むようになってからです。そして、朝しか自分の時間が取れない私にとって、翌朝のために今日1日の行動を素早く終えよう、早く寝ようと行動が速くなりました。次から次にトラブルは起きますが、でん！と構えられるようになった気がします。マネタイズを行うには、まず自分が変わることから。「いれぶん塾」というコミュニティは、いつも機嫌のいい　いれぶんさんを始めとした、いい気分のスペシャリストがたくさんいます。マネタイズ目的でなくても、入る価値大ありです。性格が変わる。人生が変わる。明るく1日1日を大切に生きられる。私は自分の人間性を変えてくれた、「いれぶん塾」に感謝しています。

11 あむあむさん

「いれぶん塾」に入って、「X」を伸ばす前に仕事が好転した。驚いたけど本当の話。

① 現実逃避の夢

たまたま流れてきたライブ映像を見ていた。武道館を熱狂させるアーティスト。客席から高く振り上げた手、響く歓声、歌うのは気持ちいいだろうな。わたしも10代は歌手になりたかった。「はぁ。」なんとなく、ため息をついた。思えば選択肢の無い10代を過ごした。16歳、逃げた父に代わり母親の為に就職、仕送りする日々。周囲に助けられ、46歳になった私。今は、人並みの幸せを手に入れている。でも、これからの不安も根深く存在している。老後資金、母の介護、子供の教育費、家のローン、維持するだけでも大変。我慢するだけではどうにも足りない。それに追い打ちをかける事が起きた。

② 事件

母が200万の借金をした。3億円当たった、相続したい。こんな詐欺に引っかかる。何度注意しても、隠れて借金をしていた。後に、その理由が父が死んだショックからだと分かった。私の今までの30年が虚しくなる。「X」を開くと、いれぶんさんのポストに励まされた。頑張れば近づけるのでは？　と元気になる。毎日読書するようになった。いれぶんさんのポストを見ていると、現実が少しずつ好転していくから不思議だった。

新規事業を軌道に乗せた実績が評価され、パートから契約社員に更新。収入が5万円増えた。

③ 夢、そして入塾

母の裏切りは許せなかったけど、その姿は命の時間を意識させる機会になった。

私の夢ははっきりした。誰にも依存せず、稼げる自分になりたい。老後の心配が無いようにしたい。仲間が欲しい。笑顔で若々しくいたい。一大決心で、1年悩んだ「いれぶん塾」に入ることを決める。うまくいかなかったら辞めればいい。決断しないと、前進も、これ以上の成功もないような気がしていた。入塾してまず驚いたのは、丁寧に教えてくれる先輩たちの存在。いれぶんさんも、どんな質問にも優しくまっすぐ答えてくれる。資料もわかりやすい。14期生（同期生）も、いっぱいいいた。ポストすると、だんだん、いつも見る人やリプで交流する人が増えていく。色々な方面のポストから刺激をもらい、自分を認めるという内容が刺さる。コンテンツを作れる自分になりたいな。稼ぐという事が明確に見えてきた。入塾してすぐに。

18時に退勤、徒歩通勤、積極的な有給取得、朝5時に起きる夜はスペースなどのいれぶん塾への参加（できるだけ）「X」の勉強をしたいのが一番。時間に対して強く意識をするようになった。仕事も18時に帰社しようとすると、共有するタイミングが早くなる。悩む時間より、頼むのが早くなり結果効率があがる。なんだか自信もでて上司にも遠慮がなくなる。

④残業せず、出世

残業するのが当たり前の会社で、18時退社の私。それなのに、来期は追加で1部署を任せたいと出世の話が来た。収入もまた上がる。「X」のフォロワーはまだ400人ほど。あれ？　仕事が先に順調になるなんて想定外。驚きながら、この負荷を楽しみ、挑戦することにした。

⑤感謝

11月から、「X」を始めてまだ数ヶ月。お礼を言いたい先輩、同期が何人もいる。毎日、リプをし、いいねをもらう。共感しあい、支えになっている。高校進学さえできなかった私にとって、いれぶん塾は、まさに青春を花開かせる場所のようだ。勉強しても中々うまくいかない「X」運用も、同期に相談したり、それも青春だ。メンターになってくれる、いれぶんさんはもちろん。初めてnoteを購入し、zoomでお話した、もんきちさんには、自分の方向、軸を気づかせてもらった。当初掲げていた、コンテンツ作りも仕事と両立しながら一つずつ夢を叶えていきたい。10代の時の、現実から逃れたいためだけの妄想とは違う。夢へ向けた目標をもてる。希望をもっている。自信がある。「いれぶん塾」に出会い、本当の私らしさにも出会えている。仕事が落ちついたら、「いれぶん塾」にも貢献したいな。40代でこんな夢と青春に出会えると思って無かった。控えめにいって、今が一番面白い。いつも、ありがとうございます。これからもよろしくお願い致します

ジュンイチさん

わたしは会社員を辞めて、コミュニティに入りました。

良かったことが5つにあります。

❶孤独にならない。

会社員を辞めて、フリーランスで一人で仕事をすると、ほとんどの付き合いがなくなり、人間関係の悩みはなくなります。ただ、自分のような家族付き合いのないおひとり様は、ほぼ孤独な状態です。些細な事ですが、朝のチャットでの挨拶で、みんなと繋がっていることを感じ、嬉しく思いま

す。

❷発信の場が増える。

意味のない会議や打ち合わせがなくなり、自分の時間が増えましたが、発信する場もなくなりました。SNS等で一方的に発信は出来ますが、リアルさは感じられません。ただ、オンラインの講座等で現実に質問が出来て、その場でのアウトプットをして定着も出来ている。50歳になっても成長している自分を感じられます。

❸相談が出来る。

自分が悩んだときに実際の相談が出来ます。今ではネットで検索すれば、悩みが解決する場合もありますが、自分の都合の良い解釈になる場合もあります。

違った視点から、答えをもらえるのがありがたいです。

❹継続が出来る。

仲間が増えて、つらい時でも応援をしてもらい、継続が出来るのが強みです。

❺自分のペースで進められる。

「いれぶん塾」は、特にこれをやりなさいとかの指示がないため、自分のペースで対応が出来るのが最大の魅力だと思います。

そして、いれぶんさんをはじめ、皆さんからヒントをもらい、自ら考えて行動していく。

また、ライティングやマーケティングだけでなく、NFT等の新しいことにも勉強する場を設けてもらい、学びの楽しさを教えてもらっています。

会社員時代は思考停止で、言われたことしかやってきませんでしたが、今は自ら動いている自分に驚いています。

コミュニティに入り、まさかここまで勉強するとは思いませんでした。50歳になっても、日々挑戦が出来る場を設けてもらって、本当にいれぶん塾に入って良かったと思います。

もんたさん

わたしは、コミュニティに入らなければ、「X」を継続できていなかったかもしれません。

仲間の存在が私を変えてくれました。仲間といっても仲良しという意味での仲間ではありません。各個人がそれぞれの目的をもって頑張る姿。

毎日の投稿や図解、成功事例の共有などをみて刺激を受けたという意味のほうが近いかもしれません。特にフォロー、フォロワーの関係を超えた「見えない絆」のようなものを感じます。そんな彼らに「応援してほしい。困っているので助けてほしい」とアナウンスがあればそっと手を差し伸べる。そんな関係が自然と生まれる点がコミュニティの素晴らしいところだと思います。

私が電子書籍を出版した時もライター仲

間とちょっとしたことがきっかけで、出版する日を決める宣言をする流れになりました。宣言したものだからやらない訳にはいきません。

迷ったらやる。決めたらやる。

背中を押してくれる存在がほしかったのかもしれません、そんな存在になる人がコミュニティの中に必ずいると思います。

コミュニティに入ったおかげで電子書籍を出版できて副業収入を得ることができました。

講師業や運用代行のお声もいただけるようになりました。コミュニティに入っているおかげで、新しい仲間が増える点も大きいと思います。さらに尊敬しているインフルエンサーの方たちと実際にお会いすることもできました。「環境が変われば思考が変わる」ことを体感しました。そして今年に入って新たな目標を見つけました。自分もコミュニティ運営したいという気持ちが強くなりました。これは挑戦です。

ですが、私もコミュニティに入ってくれる方と一緒に切磋琢磨したいのです。

目標が決まることで新たな学びが増えます。常に学びつづける環境に身をおくことで人生が豊かになると信じて、1日1日を楽しく、最高の40代を送りたいと思います。

11 けんごさん

僕は昔から人間関係に難を抱えていました。人のことは信用せず自ら誰かを誘うな

んてほとんどしてきませんでした。僕のタチが悪いところはコミュニケーションが苦手というわけではないところ、いわゆる極度のめんどくさがり屋で自己中だったと思います。

そんな中、2020年秋頃投資に失敗。妻に借金している手前「これはヤバい」と初めて無知さに気づき、そこがキッカケとなり勉強を開始しました。そんな中、ある方と出会いビジネス講座というものを知り受講。そこで初めてコミュニティの存在を知りました。

その時のビジネス講座のテーマが人間関係を軸にしたものでした。僕のテーマだ！と思い、そこから人生が劇的に変化していきました。月一回のリアルセミナーには必ず参加をして、今ももちろん完璧とは言えませんが人との接し方が大分マシになったと確信しております。サードプレイスとはよく言ったもので、ダメになってしまう自分を何度でも立ち上がらせてくれる、奮い立たせてくれる場所だと思います。

でも最近になって偏りすぎているなって感覚になり、中庸を保ちたいなと思って新たなコミュニティを探っていました。「X」も副業関連も学べるところはないかなと……。そしていれぶんさんの「メンターになります」というブログ。これが後押しになりタイミングも重なり「いれぶん塾」に入りました。そして、いれぶんさんも言っていた色んなコミュニティに入って学んだ方がいいという話。改めて実感しております。

現在、

- 朝活継続中！
- 読書習慣の大切さを再認識。
- 就寝の固定化により質を大切にするように！
- 日記を書く。
- アウトプットとインプットがバランスよくなった。
- 一日のスケジュールを書き出すようになった。
- やる気の波の乱高下がなくなった。
- ダメな日も許せるようになった。
- 交流が活発になった。

他にもまだまだありそうですが、とにかく言いたいことは、「コミュニティは素晴らしい」

ってことです。これからも毎日が遠足前夜気分になるよう努力していきます！

11 はるさん

コミュニティで似たような志と価値観を持つ仲間と出会い、日々意見交換することで、思考の整理と感情のアウトプットが上手くなったと思います。

そのおかげで大切にしたい価値観や目指すべき目標が明確になり、約1年間で夢に大きく前進しました。今は心、時間、お金の余裕が手に入り、満足した生活が送れています。

人生を変えるために入ったコミュニティですが、転職、働き方、副業、家族関係、子供との向き合い方など、本当に人生が変わりました。

なおさん

「いれぶん塾」に入って変わったこと。

❶ 習慣が変わった

いれぶんさんのルーティンに習い、朝活習慣を実践し出しました。夜ふかししがちだったのが、早起きをすることで体調も良くなり、早朝の頭スッキリ時間に「X」をすることで継続できています。

❷ 行動が変わった

「いれぶん塾」で学び出し、「X」について色々と考える時間も増え、塾生の方々の投稿や、「いれぶん塾」でのやり取りから刺激を受けました。自分一人ではなかなか行動を起こせなかったこともコミュニティの力で後押しされている感じがします。

「いれぶん塾」に入るきっかけになったのが、1月24日のVoicyプレミアム放送で質問に答えていただいたのがきっかけでした。

質問を出してすぐに取り上げてもらえた驚きと、とても真摯に答えてくださったことが、いれぶん塾に入りたいと思う最後のひと押しになりました。

本当にありがとうございました、その回

は今もライブラリに保存して、行き詰まった時に聞きなおしています。

11 ひろさん

コミュニティに入って良かったことは、やはり『一緒に頑張れる仲間がいること』です。

日常に追われ、やりたい！叶えたい！と思ったことでも思うように時間が取れず、気力も失われることが何度も何度もありました。（今もあります。）ですが、コミュニティを覗けば、みんながいる。いれぶんさんがいる。この「いれぶん塾」のご縁で、コミュニティを飛び出し、個別で連絡を取りあって、励ましあうほどになれた仲間もいます。ＳＮＳでこんな仲間に出会えるとは思ってもいませんでした。会社と家との往復だけでは絶対に得られない、とてもなく貴重な経験をさせていただいています。そんなステキな場所を、もっともっと良くなるように！一人も置いていかない！と、大切に大切に育て続けてくださっているいれぶんさんには、『感謝』の一言だけでは表しきれません。

そして、「Ｘ」と向き合うことで、改めて『自分はこの人生で本当は何がしたいのか？』を見つめ直すことができ、そこに向かってコツコツ準備を進めている真っ最中です。

今までであれば、仕事や育児を理由に逃げていたと思います。

実際、もっともらしい理由をつけて自分自身に嘘をつき続けていました。ごまかしていました。逃げ続けてきました。でも、「いれぶん塾」に入り、「X」を続けてきたからこそ、逃げていたことに気づけたんです。私の人生は、ここからさらに大きく変わっていく、と、ヒシヒシ感じます。しかも良い方向へ。たとえ失敗したとしても、絶対に学びになる。

絡みで後悔しない自信がある。「いれぶん塾」、「X」、Voicy、全てから支えられて、今を生きている実感があります。もし、コミュニティに入らなければ……。もし、いれぶんさんに出会っていなかったら……。きっと何も得られない後悔ばかりの人生になっていました。人生初のコミュニティが「いれぶん塾」であったこと、本当に幸せです。

ありがとうございます。

塩田さん

コミュニティに参加して、気持ちが引き締まりました。

今までは・なんとなく頑張ろう。・フォロワーが増えたら良いなぁ。・マネタイズをしたいなぁ。と漠然とした気持ちでいました。それが一変。きちんと前もって文章を書き出しておき、何度も読み返して、文章を調整。本業があるので皆さんとは言えませんが、可能な限りの応援要請をして、1月は一気に500名のフォロワーを増やすことができました。

2月は少し停滞気味ではありますが、いれぶんさんを目標にセカンドライフを夢から希望へ、希望から実現へと歩を進めたいと考えております。これからもコミュニティはもちろんのこと、自分自身の気持ちももっと盛り上げていきたいと考えています。

たくやんさん

コミュニティに入って変わったことは価値観が変わったことです。最初は「X」の運営方法を学ぼうと思っていたんですが、実績を出されている方たちの対談をされている動画や話の内容を見たり聞いたりして、新しい考えや働き方を知ること、世の中の動きをコミュニティに入ってたくさん知れました。コミュニティに入らなければ一生知ることがなかっただろう人たちや世界でした。

きとさん

「いれぶん塾」に入らせて頂いていて

〝ゴキゲンになりました！〟

さまざまな方との交流や、いれぶん塾のコンテンツなどなど今年入ってから刺激と出会いが多いです！

やすさん

コミュニティに入ったことで得られた変化。

- 1日24時間の過ごし方をより意識するようになったこと。
- 一緒に頑張っていける仲間を得ることができたこと。
- 情報発信への意欲を高めることができたこと。
- 「X」で1万フォロワー様を達成できたこと。
- 「X」からのマネタイズを実現できたこと。
- 40代でも自分の人生を諦めずに頑張ろうと思えたこと。
- 将来の夢や目的、方向性を見つけることができたこと。

ぼくさん

1年前よりブログを始めてから、朝活をスタートしたのですが、やはり、これだけ大勢の人たちが朝から頑張っているのを目の当たりにすると、今までと違って甘えが減りました。

また、日々挑戦している人たちが大勢いることも知りました。

「X」自体にもそう感じていたのですが、よりまとまったコミュニティなので、そこを強く感じています。正直弱音をはきたいときもありますが、「X」といれぶん塾のおかげで、倒れず前を向いて歩けていると思います。これからもよろしくお願いします。

11 さわへんさん

自分がいれぶん塾に入って一番良かったことは、

「自分の世界が広がった事」です。42年間、とても狭い世界の価値観の中で生きていたと感じました。世の中こんなに多種多様の価値観を持っている人が存在し、ポジティブに生きようとしている人たちが沢山いる。こんなに自分の知らない世界は楽しいのかと……。

「X」の世界は、ある意味海外の国と一緒で情報と知恵はあるけど、実際に訪れたことがないからどこか自分には現実味の無い世界でした。

しかしいれぶん塾で「X」運用を学びだし、リアルで対面したことのない方とのコミュニケーションに最初は緊張しましたが、今はいつもの○○さんはこんな人なんだろうなとか、こんな事頑張ってる人なんだとか、夢や目標がある方々と繋がれるようになりました。

またその延長線上で同期の方（けんじろうさん）にヘッダーを作って頂けるような関係性まで発展しました。最初は副業で儲けたいが根底にありました。もちろん今もその気持ちがありますが……。それ以上の価値を手に入れました。40代で学んで発信する事の楽しさを知りました。もっともっと学びたいと思えるようになりました。更にお互いが励まし合う仲間も増えました。朝活で部活みたいに毎朝顔を合わす人が増えました。

40代青春です。仕事に追われる日々から、何かを追いかけたい自分が出てきて仕事もプライベートもさらに楽しくなって来ました。

お金・時間・心の余裕が欲しいと思うと同時に、自分自身に納得のいく生き方をしたいと思えるようになりました。これからも人生楽しんでいこうと思います。

ねくすとさん

「いれぶん塾」に、14期生で入塾した当時、仕事・家庭でもうまくいかずに、とても悩んでいる時期でした。そんな時、いれぶんさんの存在を知ることが出来ました。

いれぶんさんのこれまでの経験、考え方がとてもステキで、お悩み相談などのアドバイスを拝聴することで、私の悩みを和らげてくれ、とても救われています。

「X」などやったこともなかったのですが、迷うことなく入塾しました。

自身の「X」発信としては、まだまだですが、サードプレイスとしての場所に、凄く私にあっています。

11 みたらしさん

私がコミュニティに入塾したのは、いれぶんさんとたつみんさんのスペースがキッカケでした。なので、いれぶんさんの「X」よりも最初にお声を聞いてからのスタートです。

そこからポストを見て、この人だ、と思いました。未知の世界でしたので、1ヶ月ほど様子を伺い、入塾にいたりました。わたしは14期なので、11/11のいれぶん祭りがすぐにやってきました。いれぶんさんの熱さと、塾生の暑苦しくない熱さがいいなぁって思いました。いれぶん塾のひとたちは、丁寧で優しい人が多いと思います。少なくとも私はその環境の中で良い影響しか受けてないです。ズボラな方なので少しは丁寧な対応になったと思います！

何かに夢中になって頑張りたい、そう思わせてくれる環境ですので、続けられていると思います。特に朝活は、10年以上挫折の連続でしたが、どうにかこうにか活動できております。

みなさん朝早くて、自分も活動しないと、かなり損した気分になってしまうからですね。

コンテンツのひとつずつが、何度も聞き返してしまうほどの濃ゆさ。

本では得られない温度感と、ナマの情報がコンテンツにはあると思います。

なので少しずつ制覇していきたいです。

まーさん

一番は「X」が楽しくなりました。毎日1ポストはここまで継続出来ています。

フォロワーさんも70名くらいから現時点で170名まで増えました。塾生のみなさんとのやり取り、本当はもっと積極的に行きたいのですが、それでも、少しずつリプがもらえる様になりました。ありがとうございます。「X」にやり方があるのも知りませんでした。

こうやって学びながら実践することはすごくいいと感じています。

まだまだコンテンツの勉強も月のスケジュールにある質問会など、私はまだまだ活用出来ていません。時間を作るために、今の生活などの見直しをする。目的の明確化と自分自身の本氣度を高めるのが課題と感じております。

営業のサラリーマンを30年(まだ継続中)やって来て、副業として収入の柱を増やす。ここがきっかけでしたが、自分がみなさんにどんな価値提供が出来るのかを考えるのが一番だと思う様になってきました。これからも学びながら実践する。もっと塾を活用する。そしてとにかく続けるをしていきます。その為のいれぶん塾とも私は感じてます。この環境に感謝します。あと塾生さん同士でお友達を作りたいとも思っています。

11 とうふさん

コミュニティのおかげで、自分の人生が変わると思えています。具体的には、自分のことを話せるようになってきました。話せることで弱い自分を認められるようになってきました。弱い自分を認められることで、自分に優しくなろうと思えました。そして弱い自分に蓋をするのではなく、見つめることで何が本当の問題なのか考えられるようになってきています。

まだ人生が変わった感覚がありませんが、変われるんだと思えています。私みたいにメンタルが弱っている人も含めて、いれぶん塾は1人も置いていかないコミュニティだと思います。

11 もっちゃん

「自分らしさ」をデザインする。人の良さはわかるけど、自分の良さって意外と気がつかないことも多いのではないでしょうか。私は19年間広告デザイナーとして仕事をしてきました。デザインは、お客様のニーズを聞き取り、みんなに知ってもらえるような「形」を提案することです。だからこそ自分勝手な決めつけでは良い仕事につながりません。まず「聞くこと」がとても重要です。しかしながら、「いれぶん塾」に入るまで、この大切なことに気がついていなかったのです。

私は不完全な人間です。今までも、これ

からもきっとそうだと思います。でも、いれぶん塾に入って「それでいい」と思えるようになりました。私は現在42歳で元気に生きておりますが、幼い頃は体が弱く、ぜん息でしょっちゅう入退院を繰り返していました。外で遊ぶことが好きでしたが出かけられない。今頃ともだちは何をしているのだろう。心配をかけてしまった。お母さんにも迷惑をかけている。こんな風に人のことを思いやれることが本来の自分なのかなと考えています。しかしその後、スポーツでの競争、勉強や受験での競争、就職氷河期の中での競争、会社での出世の競争。たくさんの競争の中で生きてきてしまいました。本来の優しい自分を見失い、「勝つことが全て」と競争の中で生きてきてしまいました。一生懸命頑張ろうと会社で深夜残業していた時のことです。「プッン」。心の糸が切れてしまいました。こうして文章を書いている今でも、苦しくて悲しい思いがよみがえります。プレッシャーや責任、デザイナーとしての目標が見えなくなったことなどが原因でもありました。心と体のバランスが崩れてしまい、手にしたマウスが1ミリたりとも動かすことができなかったのを鮮明に覚えています。

それからスローペースで仕事をするようになったのですが、そんな時に出会ったのが、いれぶんさんでした。40代の私に刺さるポスト。心が温かくなり、軽やかになる。衝撃は突然やってくるものですね。すぐに

「いれぶん塾」に入塾しました。この人の近くで心に触れていたい。そんな思いがありました。そしてさらに驚きます。いれぶんさんの周りには「自分らしく」を認め合う世界が広がっていました。これまで「自分さえ良ければいい」「勝つことが全て」という環境で生きてきた私の頬には大量の涙が流れ落ちていきました。「それでいい」と他者を認め、許し、支え合う。「いれぶん塾」は、そんな思いやりにあふれた優しいコミュニティです。

40歳から「X」をはじめ、いれぶんさんと出会って「いれぶん塾」のロゴマークやNFTなどをデザインし、今では、いれぶんさんの専属デザイナーとしてフリーランスとして活動しています。19年間お世話になった広告代理店を退社し、フリーランスとして活動するとは思ってもいませんでした。「X」では「より良くする」という信念のもと、デザインの発信をしています。私が気付かされたように、誰かの「自分らしさ」をデザインで引き上げ、自分らしく生きる人の役に立ちたいと思っています。いれぶんさんをはじめ、「いれぶん塾」のみなさんに出会えたことは一生の宝です。私にとって「いれぶん塾」は〝帰る場所〟です。

11 ゆめきちさん

私は、今5歳の娘がいて、6月には第二

子が生まれる予定ですが、妻も含め家族と過ごす時間を最大化したい、心にゆとりを持って家族と接したい、と常々思っていました。私は金融機関に勤めていて、現状でも年収はある程度満足のいく額をもらえています。働く同僚にも恵まれたと思っています。でも、平日は子どもの寝顔しか見れない、土日は疲れ切っていて満足に子どもと遊んであげられない。家族との時間を犠牲にしてがむしゃらに働く…。でも、子育てできる期間もかぎられている。

子どもはどんどん成長する。「また今度ね」「いつかやろうね」こんなんで自分の人生満足なのか？　こんな疑問が生じ、2022/12月に「X」を始めました。

「X」を始めたはいいものの、どうすればフォロワーを増やせるのか、どうしたらマネタイズできるのか、迷子になっている時にいれぶん塾を見つけ、3つの余裕のコンセプトにも惹かれ2月に入塾させていただきました。入塾してからは、いれぶんさんのマインド、数多くあるコンテンツから学びを得ることはもちろん、塾生の皆さんの本気度、前向きさ、人の良さにとても驚かされ、そして助けていただいています。

「X」アカウントを成長させ、絶対にマネタイズできるようになる。そしていつか、個人の裁量で働き方を変えられるようになる。今はそのように固く決心しております。そして、入塾してからの一番の変化は、何事も前向きに考えられるようになったマインドです。

なんだろう、この高揚感。なんだろう、この心の余裕。正直働き方は全く変わっていません。まだフォロワー170のアカウントで、当然マネタイズも出来ていません。

でも、何も動けてなかった今までと違って、どんなに仕事で追い詰められても、いれぶん塾がある、そこで頑張るんだ、という余裕が持てたことで、いつでも前向きにいられることができています。これこそ、サードプレイスの醍醐味だと思っています。これはいれぶん塾と出会えたおかげです。本当にありがとうございます。

いかがでしたでしょうか？「いれぶん塾」は、全員が主役のコミュニティです。それぞれが設定したゴールに向けて、元気になって、本気になって、継続できるコミュニティです。

11 コミュニティを使い倒す方法

「X」で最高の人生を手に入れることができる。そのためには、継続することが必要。継続するには、環境を変えるのが手っ取り早い。コミュニティで人生は変わる。

わたし自身が、最高の生き方を手に入れた流れがご理解いただけたのではないかと思います。でも、コミュニティに参加するだけでは、環境を変えたとは言えません。参加するだけでは、十分な効果を得ることができないのです。大切なキーワードをお伝えします。

それは、当事者になること。

「いれぶん塾」のようなオンラインコミュニティに限らず、世の中のコミュニティには必ず当事者と傍観者が存在します。参画意識の有無。能動的であるか、受動的であるかの違いですね。この、当事者と傍観者では、同じコミュニティに参加していても得られるものがまるで違います。考える量、感じる量が全く違うからです。当事者になったものは、多くのことを学び、成長し、そして楽しくなっていきます。傍観者になったものは、気づきが少なく、輪に入れず、いずれ居場所がなくなり、去っていくことになります。ここでは、当事者になり、多くのことを学ぶ方法、コミュニティを使い倒す、5つの方法をお伝えします。

1 アクティブに

シンプルに手数を増やしましょう。コミュニティが大きくなると、コメントをしたり、リアクションを取る人の割合が減っていきます。大勢の中で、自分でなくても誰かがやってくれるだろう。そういう意識が働くのでしょうね。しかし、考えてみてください。せっかく参加しているコミュニティで行動量が少なければ、得られる情報は少なくなる。費用対効果は悪くなる一方ですよね。大きなことをしようと考えなくても良いのです。あなたのちょっとした行動が他のメンバーの行動を呼び、コミュニティは活性化します。行動すること自体が、コミュニティへの貢献であり、あなた自身の学びにつながります。

2 能動的に

当事者であるか傍観者であるかの分かれ目は、能動的か受動的か、ここにあります。自分で舵を取る。自ら決めて行動することで、人はモチベーションを手に入れることができます。

どうせやるなら、進んでやる。嫌なことであっても、最終的にやるのであれば、自分から進んでやる方が気持ちが良い。やるかやらないか迷ったらやる。これは、私の人生を好転させてくれた座右の銘の1つです。能動的に行動することで、人は大きく学ぶことができます。

自分で舵を取る人生の楽しさ。これは、体験した人でないとわかりません。トライしてみてください。

3 矢面に立つ

さて、今日は会社のイベントです。無差別に集められた100人が壇上に上がりました。

あなたはその中にいます。ルールに伴い、ゲームを行います。どうやら、報酬も出るようです。50人と50人でAとBのチームを作ります。この後、10個の難問にチームで挑みます。それでは、まずはリーダーを2人決めましょう。立候補する人は、手を挙げてください。その後、多数決でリーダーを決定します。さて、あなたは手を挙げますか？

躊躇する方がほとんどなのではないでしょうか？　わたしなんかよりも、適任がいる。そう思う人が多いと思います。こんなケースで、真っ先に手を挙げられる人は成功する人です。少なくとも、成長していく人です。リーダーには一番負荷がかかるでしょう。責任もあります。しかし、誰よりもたくさんの学びを得ることができるのです。そう、矢面に立つ人は誰よりも多くのものを得ることができるのです。コミュニティでは、常に矢面に立ちましょう。そうすることで、最も多くの学びを得ることができます。

4 手を差し伸べる

誰かが困っていたら、真っ先に手を差し伸べましょう。これはチャンスです。誰かの役に立つチャンスです。誰かを救えるチャンスです。救われた相手は、あなたに感謝するでしょう。あなたのファンになるでしょう。あなたは、自己肯定感が高まるでしょう。そして、あなたが困っている時、助けてもらえるでしょう。人間、調子の良い時、悪い時があります。

持ちつ持たれつ。余裕がある時は、積極的に持ってあげる。そうすることで、コミュニティは活性化し、あなたも活性化します。

5 ゼロの日をなくす

最後に、ゼロの日をなくすこと。これはめちゃくちゃ重要です。あなたの人生が存在する場所はこのコミュニティだけではありませんよね。家庭、仕事場、趣味の仲間、サードプレイス、それぞれに優先するべき時があります。そんな時、優先順位が下がったコミュニティからは一時的に離れることになる。これが危険です。一度、離れてしまうと戻るのに労力を要するようになります。毎日続けていることは、そのうち習慣になり、続けることに苦を感じなくなります。しかし、週に1回、隔週に1回、月に1回と頻度が少なくなるにつれて、久しぶりに行うことが億劫になりませんか？たとえ、それが楽しいことであってもです。だからこそ、ゼロの日を作らないことが大切です。

たとえ、1分でも、コミュニティに関わってください。そうすることで、苦なく継続し、習慣にすることができます。結果的に、使い倒すことができますね。

11 コミュニティとNFT

さて、オンラインコミュニティ「いれぶん塾」は、2023年11月11日、NFTプロジェクトである、「11×SAMURAI×ROCK（イレブンサムライロック、以下ESRとする）」というコレクションをリリースします。昨今、web3やブロックチェーンなるキーワードが一般的にも聞かれるようになってきましたね。そのようなことに疎い方であっても、NFTというキーワードを一度は耳にしたことがあるのではないでしょうか。NFTのことを詳しく説明し出すと、多くのページ数を使ってしまうので、ここでは割愛しますが、誤解を恐れずに表現すると、

NFTとは「数の限られているデジタルアート（など）」を所有している証明書です。

この仕組みを使うことで、WEB上に作ったアートを所有することができます。「い

れぶん塾」では、ESRを2万2222体作ります。そして、ESRのNFTを所有する人は、コミュニティに属することができます（そのような機能を搭載します）。つまり、コミュニティの会員証のような役割です。

NFTは推し活でもあります。自分たちで作ったNFTアート、そしてそのコミュニティを推します。みんなでお祭りのように盛り上がります。すると、コミュニティに入りたい人が増えてきます。つまり、会員証であるESRが欲しい！　と思う人が増えていきます。NFTには、株式と同じように売買できる市場があり、価値（価格）が変動します。

そう、NFTは自分たちで作ったものを、自分たちで盛り上げ、価値を上げ、豊かになる。

そんなことができる仕組みなのです。株式会社の上場（IPO）みたいなものです。会社の役員や社員が自社の株式を持っている。そして、上場して一般に株式公開、売買できるようにする。会社の業績や将来性を高めることによって、その株式を買って応援したいという人たちが出てくる。会社の人気が高まれば高まるほど、株価は上がり、株価が低いうちから株を持っていた役員や社員は豊かになる。ＩＰＯをするには、大きな労力と時間、そしてさまざまな条件が必要になります。しかし、ＮＦＴを使えば、それに似たようなことができてしまう。

推し活は、人を元気にします。ＮＦＴを扱うことで、コミュニティは活性化し、そこにいる人たちはますます元気になっていきます。また、ＮＦＴアートはキャラクタービジネスにつながります。今回、ＥＳＲで誕生した「侍ロック」というキャラクターを育てて、オリジナル商品を作り、コミュニティのメンバーで盛り上げ、認知を広める。数年後、自分たちで作り、育てたキャラクターが認知を広げて、ゲームやアニメに登場する。そんな夢のような話に発展する可能性だってあります。

わたしは、「いれぶん塾」でのＮＦＴプロジェクト、ＥＳＲを成功させます。そして、コミュニティをさらに活性化させて、日本人を元気にしたい。コミュニティ、エンタメ、ＮＦＴ、このあたりを掛け合わせることで、日本人特有の強みを大きく発

揮させ、世界に向けての発信力まで高めていきたい。こんな風に考えています。

ＥＳＲのテーマは、「日本を元気にする！」です。コンセプトは、「全員が主役」。全員が主役となって、能動的に活動する。そして、アクティブに行動し、成長し、元気になる。そんなプロジェクトです。ＮＦＴを使って、人を元気にする。

コミュニティでたくさんの人を元気にする。この成功事例を作ることで、人を元気にするコミュニティを増やしていきたいそんな風に考えています。興味を持ってくださった方、是非、「いれぶんＤＡＯ」にご参加ください！

いれぶんDAO
の入り口

コミュニティで日本を元気にする

わたしは43歳からの3年間で、「X」をきっかけにして大きく人生を変えました。最高の人生を手に入れました。その一番の要因は、環境を変えることができたからです。自分を変えられるコミュニティを手に入れたからです。

最初は「X」というコミュニティ。そして、今では、「いれぶん塾」というかけがえのないコミュニティを手に入れました。

最後に、皆さんにお伝えしたいことがあります。

「コミュニティは体験してみないと、その良さはわからない」

日本では祭りが盛んです。中には熱狂的なものもあります。あまりに熱狂しているものを、冷静に客観的に見てしまうと、ちょっと引いてしまいますよね。オンラインコミュニティ、オンラインサロンという響きに怪しさを感じている人も、まだまだ多いと思います。体験しないともったいない。この本を読んでくださり、共感してくださった方へ。

一度、「いれぶん塾」に来てください。

月額５５００円です。合わなければ、すぐに退会できます。その場合、５５００円のみの出費です。わたしが朝書いているコラムは、６００回を超えました。少なくとも、60万文字以上の文章をアーカイブで読むことができます。これだけでも書籍５冊以上の価値はあります。是非とも試していただきたい。

雰囲気が合わなかった。そんな方は、他のコミュニティも試してみてください。より豊かな人生を手に入れることのできる、「X」、そしてコミュニティ。あなたのサードプレイスを見つけてください。

いれぶん塾順番待ちLINE
QRコード

「いれぶん塾」は、毎月1日〜3日の3日間のみ、入塾が可能です。「いれぶん塾順番待ちLINE」に登録すると、各種情報やご案内を受け取ることができます。是非ご登録下さい。

おわりに

今日、我が家は新しい家族「まるくん」を迎えます。

まるくんは、マルチーズのお母さんとトイプードルのお父さんの間に生まれたクリクリおめめが可愛い、おっとりしたおとこの子。

お家でわんちゃんを飼う。

それは長年の夢の１つでした。

わたしには子どもが３人います。

11 おわりに

妻は医療関係の仕事をしていました。

わたしはサラリーマン時代、ほとんどの時間を仕事に費やす生活。

その分、妻が家事と育児を担ってくれていました。

わんちゃんなんて、とても飼える状況じゃありません。

無理だ。

このまま、夢で終わるのだろうな。

そう思っていました。

でも、違っていました。夢がどんどん叶っていきます。

わたしは、なぜ、40代から「最高の生き方」を手に入れることができたのか？

時間、お金、心、３つの余裕を手に入れることができたのか？

「支え」になる「強き思い」

があったからです。

振り返ると、それまでの人生でわたしは本気になっていませんでした。

11 おわりに

もちろん、スポーツや勉強、受験に就職活動、社会人になってからの仕事でも「本気」になってやってきたつもりでした。

しかし、それは「本気」ではありませんでした。

43歳の時、７００万円の株式投資失敗、家族の信頼を失い、勤め先へ依存することへの不安……。このようなネガティブな要素が重なり、後がなくなりました。

生きていけるのか？

いや、生きないといけない。

家族を守らないといけない。

ネガティブな出来事は、わたしに

「支え」になる「強き思い」

を与えてくれました。

やるしかない。

その状況が、わたしを「本気」にしました。

本書には、その経緯、具体的な方法を全て書いたつもりです。

11 おわりに

必要なものはあと1つだけ。

それが「支え」になる「強き思い」です。

日本の40代を元気にしたい。

そして、日本を元気にしたい。

わたしと一緒に「強き思い」を手に入れましょう。

気軽に声をかけて下さいね。

あなたのアクション、お待ちしております！

2023年9月吉日　いれぶん

いれぶんの
「X」はこちら！

いれぶん

1977年生まれ。名古屋の大学を卒業後、ベンチャー企業に入社。毎週80時間労働と休日なしの生活を続けたところ、30代で年収8桁に到達。しかし、自律神経を失調し救急搬送されたことがきっかけとなり、これまでの働き方・生き方を見つめなおす。さらに40代となり株式投資で失敗、勤め先の会社でも左遷、家族の信用を失いSNSとブログで副業を開始。2年で時間、お金、心、3つの余裕を手に入れてサイドFIRE。現在は「日本の40代を元気にする」をミッションに掲げ、これまでの人生で積み上げた知見をSNSやコミュニティを通して発信していくのが日課。著書に『40代から手に入れる「最高の生き方」』(KADOKAWA)がある。

40代 𝕏 コミュニティ

どん底からたった3年で8000万円稼いで 3つの余裕を手に入れた、成功の方程式！

2023年10月11日 初版発行

著　　者　いれぶん
発 行 者　鴨頭 嘉人

発 行 所　株式会社 鴨ブックス
〒170-0013 東京都豊島区東池袋 3-2-4 共永ビル7階
電話：03-6912-8383
FAX：03-6745-9418
e-mail:info@kamogashira.com
デ ザ イ ン　松田喬史（Isshiki）
校　　正　株式会社 ぷれす
印刷・製本　株式会社 光邦

ISBN978-4-910616-08-7